Collection animée par Colline Faure-Poirée

Le goût de Beyrouth

Textes réunis et présentés
par Soraya Khalidy

Mercure de France

ISBN 2-7152-2383-8

SOMMAIRE

VOIR BEYROUTH

RÊVER BEYROUTH

VIVRE BEYROUTH

INTRODUCTION

> « Beyrouth est certainement l'une des plus belles villes de la Méditerranée. Vue de la montagne pendant la nuit, elle ressemble à une broche sertie de pierres précieuses. Elle s'avance majestueusement vers la mer comme une bacchante qui aurait rejeté ses voiles. Ville européenne mais restée orientale ! Car l'Orient ne veut jamais mourir. »
>
> Farjallah HAÏK

> « Il y a des jardins qui n'ont plus de pays
> Et qui sont seuls avec l'eau
> Des colombes les traversent bleues et sans nids »
>
> Georges SHEHADÉ

> « Je t'aime encore... malgré la bêtise humaine...
> Je t'aime encore... Ô Beyrouth ! »
>
> Nizar QABBANI

Beyrouth attire, Beyrouth fascine, Beyrouth est un sujet maintes fois visité. Pourtant, la ville fut longtemps éclipsée par ses sœurs phéniciennes, grecques et romaines. En effet, des temps anciens, peu de témoignages nous sont parvenus. La première mention de Beyrouth remonte au début du XIVe siècle av. J.-C., sur une tablette gravée, retrouvée sur le site de Tell el-Amarna, en Égypte. Citée dans les documents d'Ugarit au XIIe siècle av. J.-C., Beyrouth disparaît ensuite des sources écrites, à une exception près, jusqu'à l'époque hellénistique. Mais l'intérêt des voyageurs de l'Antiquité se concentre essentiellement sur la légende de saint Georges terrassant le dragon dans la baie de Beyrouth, qui porte encore son nom. Ce n'est que lorsque Septime Sévère y fonde, au IIe siècle, la première école de loi romaine que Julia Augusta Felix Berytus paraît dans les chroniques. Le poète grec Nonnos surnomme alors la ville la « donneuse de loi ».

Après qu'un terrible séisme la réduit à néant en 551, Beyrouth se retrouve à nouveau dans l'ombre. Les chroniqueurs croisés se contentent de la nommer et, de tous les voyageurs arabes, seul Ibn Battuta, qui s'y rend au début du XIVe siècle, lui consacre quelques lignes : « Nous nous rendîmes à Beyrouth, petite ville dont les marchés sont beaux et la mosquée d'une merveilleuse architecture. On exporte des fruits et du fer, de la ville, vers l'Égypte. » Aux XVIe et XVIIe siècles, Beyrouth, cité de l'Empire ottoman, n'inspire encore à ses visiteurs, comme Volney, que quelques commentaires descriptifs et critiques. Mais, au XIXe siècle, l'Orient est une destination à la mode en Europe et le Liban devient une étape obligatoire sur la route des écrivains et des peintres orientalistes. Beyrouth acquiert alors une dimension littéraire. Elle provoque chez les auteurs romantiques un engouement et un enthousiasme d'ordre mystique. Alphonse de Lamartine et Gérard de Nerval l'élèvent au rang de ville mythique. Dès lors Beyrouth fascine l'imaginaire occidental; jusqu'au début du XXe siècle, elle est vécue comme un lieu idéal, qui réunit l'Orient et l'Occident.

Dans les années 1950 et 1960, Beyrouth conserve cette image de lieu intermédiaire entre plusieurs cultures. Beyrouth est aussi une enclave de liberté et un centre culturel important au sein du monde arabe. « Je lui vois, pour ma part, une sainteté poétique. C'est celle de Beyrouth des profondeurs, Beyrouth qui lit et écrit, Beyrouth de la liberté... Aucune autre ville au monde ne peut remplacer Beyrouth-qui-pense. Et c'est là son plus bel atour... » en a dit le poète Nizar Qabbani. Le début de la guerre civile, en 1975, met fin à cette période faste. Beyrouth se transforme, aux yeux du monde, en spectacle télévisé de la guerre. Elle fait certes couler beaucoup d'encre ; un nombre incalculable d'articles et de chroniques de guerre lui sont consacrés. Beyrouth évocatrice de désordre et de ruine continue de fasciner. Se pose alors la question de définir Beyrouth, de l'expliquer. Ce que tentent Claire Gebeyli et Mahmoud Darwich. Beyrouth existe-t-elle encore ? A-t-elle jamais existé ?

Pourtant, son cœur bat sous les décombres, comme le découvrent Bernard Wallet, qui s'y promène, et le fou de Beyrouth de Selim Nassib. Avec la fin de la guerre, en 1990, une nouvelle génération d'écrivains libanais s'intéresse à la restitution de la mémoire et des repères, incarnés par le centre-ville détruit. Qu'adviendra-t-il de Beyrouth, rasée pour être reconstruite et ainsi dépossédée de sa mémoire ? Pourra-t-elle continuer à vivre ? Les fouilles réalisées en 1985 dans le centre-ville et qui témoignent d'une occupation continue de la ville depuis l'âge du bronze apportent la réponse à cette question :

depuis sa création, Beyrouth se reconstruit et se réinvente sans cesse.

Beyrouth ne se définit pas, elle se vit, comme la promesse de la brise après une longue journée d'été, le bonheur éphémère d'une promenade à Raouché ou sur la Corniche, le plaisir offert par une tasse de café turc, un verre d'arak accompagné de quelques mezzés. C'est ça Beyrouth ! Beyrouth ne s'explique pas, elle est !

Soraya KHALIDY

VOIR BEYROUTH

VOLNEY

La ville de Beyrouth

En 1782, après avoir appris l'arabe, Constantin François Cassebœuf dit Volney (1757-1820) part à la découverte du « berceau des idées religieuses qui influencèrent la morale publique et particulière » de l'Occident. Son voyage, qui dura cinq ans et lui fit découvrir l'Égypte, la Palestine, la Syrie et le Liban, avait aussi une visée politique : l'évaluation de la puissance et des ressources de l'Empire ottoman. De Beyrouth, qu'il visite en 1783, il fait un état des lieux purement géographique.

Je vais passer, sans y insister, à quelques détails sur les lieux les plus remarquables de ce pachalic[1]. Le premier qui se présente en venant de Tripoli, le long de la côte, est la ville de Béryte, que les Arabes prononcent comme les anciens Grecs *Bairout*. Son local est une plaine qui, du pied du Liban, s'avance en pointe dans la mer, environ deux lieues hors la ligne commune du rivage : l'angle rentrant qui en résulte au nord forme une assez grande rade, où débouche la rivière de Nahr-el-Salib, dite aussi Nahr-Bairout. Cette rivière en hiver a des débordements qui ont forcé d'y construire un pont assez considérable; mais il est tellement ruiné que l'on n'y peut plus passer : le fond de la rade est un roc qui

1. Il s'agit du pachalic (ou pachalik) de Saïde, dit aussi d'Acre.

coupe les câbles des ancres, et rend cette station peu sûre. De-là, en allant à l'ouest vers la pointe, l'on trouve, après une heure de chemin, la ville de Bairout.

Jusqu'à ces derniers temps, elle avait appartenu aux Druzes; mais Djezzâr a jugé à-propos de la leur retirer, et d'y mettre une garnison turke. Elle n'en continue pas moins d'être l'entrepôt des Maronites et des Druzes : c'est par-là qu'ils font sortir leurs cotons et leurs soies, destinées presque toutes pour le Kaire. Ils reçoivent en retour du riz, du tabac, du café et de l'argent, qu'ils échangent encore contre les blés du Beqâà et du Hauran : ce commerce entretient une population assez active, d'environ six mille âmes. Le dialecte des habitants est renommé avec raison pour être le plus mauvais de tous; il réunit à lui seul les douze défauts d'élocution dont parlent les grammairiens arabes. Le port de Bairout, formé comme tous ceux de la côte par une jetée, est comme eux comblé de sables et de ruines; la ville est enceinte d'un mur dont la pierre molle et sablonneuse cède au boulet de canon sans éclater; ce qui contraria beaucoup les Russes quand ils l'attaquèrent. D'ailleurs, ce mur et ses vieilles tours sont sans défense. Il s'y joint deux autres inconvénients qui condamnent Bairout à n'être jamais qu'une mauvaise place; car d'une part, elle est dominée par un cordon de collines qui courent à son sud-est, et de l'autre, elle manque d'eau dans son intérieur. Les femmes sont obligées de l'aller puiser à un demi-quart de lieue, à une source où elle n'est pas trop bonne. Djezzâr a entrepris de construire une fontaine publique, comme il a fait à Acre; mais le canal que j'ai vu creuser sera de peu de durée. Les fouilles, que l'on a faites en d'autres circonstances pour former des citernes, ont fait découvrir des ruines souterraines, d'après lesquelles il paraît que la ville moderne est bâtie sur l'ancienne. Lataqîé, Antioche, Tripoli, Saïde, et la plupart des villes de la côte, sont dans le même cas, par l'effet des tremblements de terre qui les ont renversées à diverses époques. On trouve aussi hors des murs à l'ouest des décombres et quelques fûts de colonnes, qui indiquent que Bairout a été autrefois beaucoup plus grande qu'aujourd'hui. La plaine qui forme son territoire est toute plantée en mûriers blancs qui, au contraire de ceux de Tripoli, sont jeunes et vivaces, parce que sous la régie druze on les renouvelait impunément. Aussi la soie qu'ils fournissent est d'une très belle qualité : c'est un coup d'œil vraiment agréable, lorsqu'on vient des montagnes, d'apercevoir de leurs sommets ou de leurs pentes le riche tapis de verdure que déploie au fond lointain de la vallée cette forêt d'arbres utiles : dans l'été, le séjour de Bairout est incommode par sa chaleur et son eau tiède ; cependant il n'est pas malsain : on dit qu'il le fut autrefois, mais qu'il cessa de l'être depuis que l'émir Fakr-el-Din eut planté un bois de sapins qui subsiste encore à une lieue au sud de la ville. Les religieux de Mar-Hanna, qui ne sont pas des physiciens à systèmes, citent la même observation pour divers couvents ; ils assurent même que depuis que les sommets se sont couverts de sapins, les eaux de diverses sources sont devenues plus abondantes et plus saines : ce qui est d'accord avec d'autres faits déjà connus.

Voyage en Égypte et en Syrie
(décembre 1782-mars 1785).

Après la défaite des Mamelouks, en 1516, Beyrouth est intégrée à l'Empire ottoman et placée sous l'autorité de princes locaux. C'est grâce à l'un d'entre eux, l'émir Fakhr ed-Dine II Maan (1590-1635), qu'elle connaîtra, au XVIIe siècle, sa première période de gloire. Fakhr ed-Dine y fait construire un grand palais entouré de jardins d'orangers et de grenadiers – sans doute à l'emplacement de l'actuelle place des Martyrs. Il fait également élargir le port, consolider les fortifications et agrandir la forêt de pins, au sud de la ville. Grâce à ses relations avec Venise, il ouvre Beyrouth au commerce européen, ce qui relance le négoce de la soie, fabriquée dans les montagnes voisines du Chouf. Mais, à la fin du XVIIe siècle, Beyrouth échoit à la famille des Chehab ; elle connaîtra dès lors et tout au long du XVIIIe siècle des fortunes diverses au gré de ses dirigeants. Lorsque Volney s'y rend, en 1783, Beyrouth n'est qu'une ville de six mille habitants entourée de murs formant un rectangle de 450 m sur 900 m. L'Anglais Richard Pococke qui la visite en 1737 décrit une cité de 2 miles (3,3 km) de circonférence. Ses rues sont alors si étroites et si encombrées qu'aucun véhicule à roues ne peut y circuler. Elle abrite néanmoins des souks et plusieurs monuments religieux et civils. À l'époque, Beyrouth ne fait pas encore partie des « échelles du Levant » ou comptoirs français en Syrie au même titre qu'Alep, Iskandaroun, Lattaquié, Tripoli, Saïda, Acre et Ramlé. Mais, contrairement aux prédictions de Volney, qui la condamne à demeurer une « mauvaise place », elle se développera rapidement. Le petit port de cabotage dont il décrit l'insuffisance supplantera, quelque temps après, celui de Saïda.

ALPHONSE DE LAMARTINE

L'arrivée à Beyrouth

Après un long voyage en mer, Alphonse de Lamartine (1790-1869) arrive enfin devant la rade de Beyrouth. Pour lui ce voyage en « terre sainte » est investi d'une double mission : la redécouverte du berceau du christianisme et, surtout, l'espoir de trouver un climat favorable à la guérison de sa fille, Julia, gravement malade. Beyrouth est porteuse d'une promesse et la description qu'il fait des lieux n'en est que plus poignante : ce n'est pas un paysage, c'est presque un paradis qu'il aperçoit.

Nous étions devant Bayruth, une des villes les plus peuplées de la côte de Syrie, anciennement Beryte, devenue colonie romaine sous Auguste, qui lui donna le nom de *Felix Julia*. Cette épithète d'heureuse lui fut attribuée à cause de la fertilité de ses environs, de son incomparable climat, et de la magnificence de sa situation. La ville occupe une gracieuse colline qui descend en pente douce vers la mer; quelques bras de terre ou de rochers s'avancent dans les flots, et portent des fortifications turques de l'effet le plus pittoresque; la rade est fermée par une langue de terre qui défend la mer des vents d'est : toute cette langue de terre, ainsi que les collines environnantes, sont couvertes de la plus riche végétation; les mûriers à soie sont plantés partout, et élevés d'étage en étage sur des terrasses artificielles; les caroubiers à la sombre verdure et au dôme majestueux, les figuiers, les platanes, les orangers, les grenadiers, et une quantité d'autres arbres ou arbustes étrangers à nos climats, étendent sur toutes les parties du rivage voisines de la mer le voile harmonieux de leurs divers feuillages; plus loin, sur les premières pentes des montagnes, les forêts d'oliviers touchent le paysage de leur verdure grise et cendrée : à une lieue environ de la ville, les hautes montagnes des chaînes du Liban commencent à se dresser; elles y ouvrent leurs gorges profondes, où l'œil se perd dans les ténèbres du lointain; elles y versent leurs larges torrents, devenus des fleuves; elles y prennent des directions diverses, les unes du côté de Tyr et de Sidon, les autres vers Tripoli et Latakie; et leurs sommets inégaux, perdus dans les nuages ou blanchis par la répercussion du soleil, ressemblent à nos Alpes couvertes de neiges éternelles.

Le quai de Bayruth, que la vague lave sans cesse et couvre quelquefois d'écume, était peuplé d'une foule d'Arabes, dans toute la splendeur de leurs costumes éclatants et de leurs armes. On y voyait un mouvement aussi actif que sur le quai de nos grandes villes maritimes; plusieurs navires européens étaient mouillés près de nous dans la rade, et les chaloupes, chargées des marchandises de Damas et de Bagdad, allaient et venaient sans cesse de la rive aux vaisseaux; les maisons de la ville s'élevaient, confusément groupées, les toits des unes servant de terrasses aux autres. Ces maisons à toits plats, et quelques-unes à balustrades crénelées, ces fenêtres à ogives multipliées, ces grilles de bois peint qui les fermaient hermétiquement comme un voile de la jalousie orientale, ces têtes de palmiers qui semblaient germer dans la pierre, et qui se dressaient jusqu'au-dessus des toits, comme pour porter un peu de verdure à l'œil des femmes prisonnières dans les harems, tout cela captivait nos yeux et nous annonçait l'Orient. Nous entendions le cri aigu des Arabes du désert qui se disputaient sur les quais, et les âpres et lugubres gémissements des chameaux, qui poussent des cris de douleur quand on leur fait plier les genoux pour recevoir leurs charges. Occupés de ce spectacle si nouveau et si saisissant pour nos yeux, nous ne songions pas à descendre dans notre patrie nouvelle. Le pavillon de France flottait cependant au sommet d'un mât sur une des maisons les plus élevées de la ville, et semblait nous inviter à aller nous reposer, sous son ombre, de notre longue et pénible navigation. Mais nous avions trop de monde et trop de bagages pour risquer le débarquement avant d'avoir reconnu le pays et choisi une maison, si nous pouvions en trouver une. Je laissai ma femme, Julia et deux de mes compagnons sur le brick, et je fis mettre le canot à la mer pour aller en reconnaissance. En peu de minutes, une belle lame plane et argentée me jeta sur le sable ; et quelques Arabes, les jambes nues, m'emportèrent dans leurs bras jusqu'à l'entrée d'une rue sombre et rapide qui conduisait au consulat de France.

[...] Je me suis levé avec le jour, j'ai ouvert le volet de bois de cèdre, seule fermeture de la chambre où l'on dort dans ce beau climat. J'ai jeté mon premier regard sur la mer et sur la chaîne étincelante des côtes qui s'étendent en s'arrondissant depuis Bayruth jusqu'au cap Batroun, à moitié chemin de Tripoli.

Jamais spectacle de montagnes ne m'a fait une telle impression. Le Liban a un caractère que je n'ai vu ni aux Alpes ni au Taurus : c'est le mélange de la sublimité imposante des lignes et des cimes avec la grâce des détails et la variété des couleurs ; c'est une montagne solennelle comme son nom ; ce sont les Alpes sous le ciel de l'Asie, plongeant leurs cimes aériennes dans la profonde sérénité d'une éternelle splendeur. Il semble que le ciel repose éternellement sur les angles dorés de ces crêtes ; la blancheur éblouissante dont il les imprime se laisse confondre avec celle des neiges qui restent, jusqu'au milieu de l'été, sur les sommets les plus élevés. La chaîne se développe à l'œil dans une longueur de soixante lieues au moins, depuis le cap de Saïde, l'antique Sidon, jusqu'aux environs de Latakie, où elle commence à décliner, pour laisser le mont Taurus jeter ses racines dans les plaines d'Alexandrette. Tantôt les chaînes du Liban s'élèvent presque perpendiculairement sur la mer avec des villages et de grands monastères suspendus à leurs précipices ; tantôt elles s'écartent du rivage, forment d'immenses golfes, laissent des marques verdoyantes ou des lisières de sable doré entre elles et les flots. Des voiles sillonnent ces golfes, et vont aborder dans les nombreuses rades dont la côte est dentelée. La mer y est de la teinte la plus bleue et la plus sombre ; et, quoiqu'il y ait presque toujours de la houle, la vague, qui est grande et large, roule à vastes plis sur les sables, et réfléchit les montagnes comme une glace sans tache. Ces vagues jettent partout sur la côte un murmure sourd, harmonieux, confus, qui monte jusque sous l'ombre des vignes et des caroubiers, et qui remplit les campagnes de vie et de sonorité. À ma gauche, la côte de Bayruth était basse ; c'était une continuité de petites langues de terre tapissées de verdure, et garanties seulement du flot par une ligne de rochers et d'écueils couverts pour la plupart de ruines antiques. Plus loin, des collines de sable rouge comme celui des déserts d'Égypte s'avancent comme un cap, et servent de reconnaissance aux marins ; au sommet de ce cap, on voit les larges cimes en parasol d'une forêt de pins d'Italie ; et l'œil, glissant entre leurs troncs disséminés, va se reposer sur les flancs d'une autre chaîne du Liban, et jusque sur le promontoire avancé qui portait Tyr (aujourd'hui Sour). Quand je me retournais du côté opposé à la mer, je voyais les hauts minarets des mosquées, comme des colonnettes isolées, se dresser dans l'air bleu et ondoyant du matin ; les forteresses moresques qui dominent la ville, et dont les murs lézardés donnent racine à une forêt de plantes grimpantes, de figuiers sauvages et de giroflées ; puis les crénelures ovales des murs de défense ; puis les cimes égales des campagnes plantées de mûriers ; çà et là les toits plats et les murailles blanches des maisons de campagne ou des chaumières des paysans syriens ; et enfin, au-delà, les pelouses arrondies des collines de Bayruth, portant toutes des édifices pittoresques, des couvents grecs, des couvents maronites, des mosquées ou des santons, et revêtues de feuillages et de culture comme les plus fertiles collines de Grenoble ou de Chambéry. Pour fond à tout cela, toujours le Liban : le Liban prenant mille courbes, se groupant en gigantesques masses, et jetant ses grandes ombres ou faisant étinceler ses hautes neiges sur toutes les scènes de cet horizon.

Voyage en Orient.

C'est en 1832 que Lamartine découvre Beyrouth et sa vision contraste radicalement avec celle de Volney. La ville a beaucoup changé en un demi-siècle ; elle connaît, depuis l'arrivée au pouvoir, en 1788, de l'émir Bechir II Chehab, une période de grande prospérité. La sécurité qui règne sur les routes, renforcée par les châtiments légendaires de l'émir, facilite la circulation de marchandises entre les montagnes et la côte, ce qui permet le développement de l'industrie et du négoce. L'ouverture de Damas au marché européen, à peu près à cette date, accroît aussi l'importance de Beyrouth en tant que place commerciale et y augmente la présence européenne.

La ville commence à s'étendre et à se moderniser : une partie des remparts est démolie, des travaux sont entrepris pour développer le port et améliorer les infrastructures urbaines (rues, routes, chemin de fer...). Mais l'alliance de Bechir II avec le vice-roi d'Égypte, Ibrahim Pacha, ouvertement opposé à l'Empire ottoman, mettra fin à cette période faste. Le rapprochement entre les deux souverains déplaît à la Grande-Bretagne et ses alliés dont les intérêts commerciaux dans la région se trouvent mis en jeu. En 1840, une flotte de navires anglais, australiens et turcs bombarde Beyrouth. L'émir est exilé et la ville, défigurée, est placée sous contrôle ottoman direct. Henry Guys, consul de France à Beyrouth, qui se trouve dans la ville en même temps que Lamartine, a une vision bien moins romantique de la cité. Selon lui, elle « n'offre rien de curieux au premier coup d'œil. On s'aperçoit que c'est une place devenue très récemment commerçante, sans que rien ne prouve encore qu'il s'y soit fait de brillantes fortunes ». Trouvant l'extérieur des maisons « de l'aspect le plus hideux », il concède cependant que « Beyrouth est sur les rangs pour prendre place après Smyrne et Alexandrie. Elle est dotée de consulats de presque toutes les nations ; d'établissements commerciaux ; d'hôtels, de magasins convenablement fournis, d'une pharmacie européenne, enfin d'un casin, établissement de luxe que ne se permettent que les échelles de premier ordre ».

MAURICE BARRÈS

Premier regard sur Beyrouth

Pour mener son « enquête » sur la situation des chrétiens du Levant, Maurice Barrès (1862-1923) se rend directement à Beyrouth sans passer par Jérusalem. Mais, à son arrivée, il est déçu par l'épais brouillard qui lui cache la ville et l'empêche de jouir de ce qui devait être la « première merveille » de son voyage : la « vue du Liban depuis la mer décrite par Lamartine ».

Douceur générale de Beyrouth, avec les petits carrés blanchâtres et bleuâtres de ses maisons coiffées de toitures légèrement pointues, dont les tuiles rouges font le plus plaisant effet dans la verdure. Je n'oublierai jamais cette chaleur, cette humidité, cette brume qui nous enfermaient et, dans ce désordre du bateau tirant de cale tout son chargement, la sorte d'émoi sacré qui me soulevait. De telles minutes s'incorporent à notre être, comme les dernières attentes d'un premier rendez-vous d'amour. Je respirais l'odeur de l'Asie...

Les deux députés de la nation, MM. Brané et Chapotot, m'ont fait l'amitié de venir me chercher à bord. Puisqu'ils ne peuvent me nommer, dans ce paysage voilé, aucun des sites fameux de l'Antiquité, je leur demande que dans la ville, doucement lumineuse devant nous, sous la brume, ils me fassent voir la grande pensée française de cette terre, l'université Saint-Joseph des

Jésuites. Si je ne peux admirer Byblos et sa noire vallée, le cap de Sidon, le promontoire de Tyr, les golfes immenses, les forêts parfumées, les cimes et les torrents de neige, qu'au moins je distingue immédiatement l'autre moitié de ma curiosité : cette maison fameuse qui s'épanouit au sommet de l'édifice scolaire de toutes nos missions d'Orient, et qui peuple de ses élèves, lettrés, médecins, juristes, formés intégralement à la française, l'Asie Mineure, la Perse, l'Égypte et jusqu'au Soudan égyptien.

Ils me montrent sur les premières pentes qui dominent Beyrouth un long bâtiment flanqué de trois ailes.

Une enquête au pays du Levant.

En 1860, la guerre qui fait rage entre maronites et Druzes dans la montagne libanaise puis à Damas nécessite l'intervention de forces armées européennes dans la région. Lorsque les troupes françaises débarquent à Beyrouth, un grand nombre de maronites en quête de protection émigrent vers la cité. Cette augmentation sensible de la population entraîne un essor économique important, qui se traduit par la construction de nouveaux édifices commerciaux, industriels (usines, filatures, fabriques...) et religieux. À cela vient s'ajouter la création d'imprimeries, de journaux, de théâtres mais aussi la fondation d'écoles, de collèges et d'universités... En effet, à la suite de l'implication européenne au Liban, plusieurs établissements scolaires et universitaires étrangers ouvrent leurs portes, dont le Collège protestant syrien (devenu aujourd'hui l'Université américaine de Beyrouth), inauguré en 1866, et l'université Saint-Joseph, fondée en 1874. Premier établissement d'enseignement supérieur catholique et francophone de la région, Saint-Joseph s'installe en 1912 sur un terrain situé sur la route de Damas, à l'entrée est de la ville. C'est ce bâtiment qui fait l'admiration de Barrès à son arrivée en 1914. Mais cette même année, l'Empire ottoman entre en guerre auprès de l'Autriche-Hongrie et de l'Allemagne : c'est le début de la Première Guerre mondiale. Lorsque les autorités françaises prennent possession de Beyrouth, en 1918, elle est ravagée par quatre ans de famine et une épidémie de typhus. En 1920, la France, devenue force mandataire au Liban, fonde l'État du Grand Liban, séparé de la Syrie, avec Beyrouth pour capitale. C'est le début d'une grande campagne de restructuration urbaine : la vieille ville avec ses souks, khans, hammams et édifices religieux, est transformée en centre-ville moderne, dont le clou est la place de l'Étoile, version miniature de son homonyme parisienne.

ANDRÉE CHEDID

Beyrouth, ville étincelante

Dans le guide qu'elle écrit sur le Liban à la fin des années 1960, Andrée Chedid dépeint l'arrivée à Beyrouth à la manière des voyageurs orientalistes. Mais sa description des multiples facettes de la ville est teintée d'ironie ; sous son voile scintillant, Beyrouth cacherait d'autres beautés, plus vraies et plus graves...

Par la mer ou par les airs, Beyrouth se propose d'un seul coup, étincelante sous sa conque bleue. Survolant la trace sinueuse qui sépare la Méditerranée du rivage, la tendre écume paraît plus subtile ici que nulle part ailleurs ; l'avion avance dans un étui de lumière, la terre est arrosée de soleil ; le gris de notre robe-habitude se détache et nous quitte. Soudain, eau et sables ne font qu'un.

Beyrouth s'ouvre, palme sur la mer ; se hausse, cirque imposant ; enjambe avec ses troupeaux de maisons les premières collines. On découvre le bistre, le blanc de ses constructions serrées que flagelle un soleil jeune : ses îlots d'arbres qui apaisent les violences de l'été ou les rigueurs du roc. Au loin, on aperçoit ses crêtes toujours neigeuses. [...]

Beyrouth. Baie en cinémascope. Somptueux hôtels, plages privées, rutilantes voitures, clubs, cabarets de luxe, loisirs et vacances perpétuelles... Est-ce *cela*, le Liban ? Cela, et autre chose.

D'abord tout chatoie, brille, étincelle, vous a des allures de vitrine, un air d'étalage qui irrite. Il faut exhiber ce que l'un veut vendre, et comme ici la principale marchandise est l'argent !... La monnaie attirant la monnaie, on fait de plus en plus d'argent en prouvant aux autres qu'on est très riche et que les fonds ne manquent pas. Marché au bord de la mer, marché aux confins du désert, la ville vit, en partie, de sa réputation de prospérité. D'ailleurs pourquoi et pour qui s'en cacher ? « La richesse est à la portée de chaque Libanais », affirment certains. Cette euphorie fait sourire, ignore ou fait fi de nombreuses difficultés dans lesquelles se débat le pays : bien des possédants se réfugient ainsi dans une sécurité à court terme.

Miroitement, somptuosité, jardins suspendus, délices de l'Orient et de l'Occident tout ensemble, est-ce *cela*, le Liban ? Cela et autre chose. Il serait dommage de se contenter d'un regard frisant. Il y a plus, il y a mieux. La carte postale du bien-être, la côte pour vacances de rêve ne devraient pas dissimuler un univers d'hommes aux visages multiples et passionnants, un monde de problèmes, la découverte de terres plus vraies ou plus âpres, d'une naturelle ou d'une austère beauté.

Liban.

collection « Petite Planète ».

Dans les années 1950, l'instauration de la loi sur le secret bancaire au Liban attire les pétrodollars de l'Arabie Saoudite et des pays du Golfe ainsi que les capitaux d'Égypte et de Syrie menacés de nationalisation. Le secteur bancaire se développe à toute allure. Dans les années 1960, Beyrouth abrite le siège de plus de quatre-vingts banques ! Son port est le plus actif du Moyen-Orient. On parle alors de « miracle économique ». La ville est réputée pour son libéralisme, mais aussi pour son mode de vie extravagant, ses hôtels luxueux, ses restaurants et boîtes de nuit qui ne désemplissent pas. Théâtres, salles de cinéma et de concerts se multiplient et affichent les dernières créations à la mode. Sur le programme du festival de Baalbek, inauguré en grande pompe par Jean Cocteau en 1956, se côtoient les grands noms de la scène internationale : Maurice Béjart, Rudolf Noureïev, Ella Fitzgerald, Oum Kalthoum... Beyrouth devient aussi le refuge des intellectuels du monde arabe, qui y trouvent les moyens d'expression qui leur manquent. L'édition littéraire et journalistique connaît un essor formidable. La création artistique n'est pas en reste. « Une Suisse ?... En moins peigné, en plus complexe, en moins civique, en plus chaleureux... », dira Andrée Chedid.

ELIAS SANBAR

Beyrouth, insouciante

L'historien et journaliste palestinien Elias Sanbar a grandi et vécu à Beyrouth, sa terre d'exil. À travers la description de l'agitation qui la caractérisait, il brosse le portrait de la ville dans les années 1960, à la veille de la guerre israélo-arabe de 1967.

À Beyrouth, les années passent. Le Liban connaît une période faste. Sa capitale miroite de tous ses feux et nous sortons d'une adolescence curieuse de tout. Devenu, avec l'accord tacite des régimes voisins, la ville-refuge des opposants arabes, Beyrouth sert d'exutoire à la contestation.

Presse internationale, quotidiens de qualité, foisonnement de théâtres, de cinémas, de maisons d'édition, de librairies où l'on trouve tout, des publications universitaires américaines à l'édition intégrale des œuvres du marquis de Sade chez Pauvert, la capitale libanaise étale outrageusement le mariage réussi du commerce sauvage et du libéralisme politique. Et tout le monde en profite. Les hommes d'affaires et les artistes, les banquiers et les militants, les touristes et les agents de renseignement.

Kim Philby est fonctionnaire de l'ambassade britannique, Oum Kalthoum chante à Baalbek, Arturo Benedetti Michelangeli joue Beethoven, et un soir de grand vent, emmené par mon frère à un récital en plein air, je découvre, ébloui, un pianiste au regard intense et à l'allure d'instituteur débonnaire. Samson François joue Debussy, *La fille aux cheveux de lin, La cathédrale engloutie, Et la lune descend sur le temple qui fut, La Plus-Que-Lente,* puis, debout aux côtés de son piano, il salue, la main posée sur le clavier, comme s'il faisait applaudir un compagnon.

Beyrouth est aussi une immense scène d'insouciance. Personne ne veut voir l'envers du décor, le pays profond, la masse des frustrés de la manne, les milliers de pauvres du Sud, de la Bekaa, du Hermel. Des années plus tard, fuyant leur détresse quotidienne, les opérations des fedayins qui traversent leurs villages pour s'infiltrer en Israël, les raids de représailles de ce dernier, les massacres confessionnels de la guerre civile, ils investiront la capitale et lui feront un sort. En attendant, c'est la fête *et* la Suisse. « Nous sommes la Suisse de l'Orient », répètent à l'envi les fêtards.

Bien que vibrant à toutes les révolutions du monde, de l'Indochine à la Sierra Maestra, ma génération a été prise dans ce spectacle qu'elle croyait éternel. Bardés de convictions contradictoires, nous pensions pouvoir tout à la fois jouir de cet état des choses et préparer son renversement.

Le bien des absents.

En 1960, Beyrouth semble riche et prospère ; pourtant en 1968, les manifestations de soutien à la politique du président égyptien Gamal Abdel Nasser provoquent une guerre civile qui nécessite l'intervention de quinze mille soldats américains. Beyrouth subit les conséquences des conflits politiques qui secouent la région et auxquels son équilibre fragile ne pourra résister. Dès 1970, après le « septembre noir jordanien », Beyrouth devient le quartier général de l'OLP (Organisation pour la libération de la Palestine) ; elle accueille aussi à bras ouverts tous les opposants aux régimes totalitaires des pays arabes (Égypte, Syrie, pays du Golfe, Arabie, Irak...) ainsi que les déçus de toutes les révolutions manquées... et qui rêvent de changer le monde, à commencer par Beyrouth !

ADONIS

Beyrouth en guerre

Que dire d'une ville happée, d'un jour à l'autre, par une spirale infernale de haine et de terreur ? C'est par un poème qu'Adonis, né en 1930 en Syrie, rend hommage à une ville devenue synonyme de violence et d'anarchie.

«CÉLÉBRATION DE BEYROUTH 1982»

Le temps avance
appuyé sur un bâton en os des morts

La lame de l'insomnie
incise le cou de la nuit

Des crânes versent le sang
D'autres s'enivrent et délirent

Le feu peut-il se souiller
l'air se cambrer

La fumée est nuages
Les nuages ont forme de têtes

Des lettres tombées du ciel
s'impriment sur la terre en membres déchiquetés

L'horizon a conseillé à l'air son fils
de ne pas sortir aujourd'hui

Comment les cailloux de la route
ne se fatigueraient-ils pas

Le soleil lui-même ne peut éclairer
ce corps qui saigne des ténèbres

Jours habillés de poussière
et qui ont des traits de vieillards

Papillons qui s'enflamment
en gravissant l'escalier du sommeil

La cendre – princesse qui s'assied
pour recevoir allégeance

La fusée – reine qui balaye de sa traîne
le corps de ses sujets

Le soleil dit presque à sa clarté –
aveugle mes yeux
afin qu'ils ne voient plus

La vie est-elle une faute
que corrige l'assassinat

Où est le fossé assez large pour les larmes
Où est le trou capable d'abriter l'âme

Voyez la chose assassiner la chose

Cette voûte céleste n'a-t-elle pas
un autre sein

D'où vient à cette rose son obstination
Elle ne cesse de me lire son amour

La rose a failli oublier
comment faire naître son parfum

Le jour craint le jour
La nuit se cache de la nuit

Je remercie la poussière qui se mêle à la fumée
des incendies et l'adoucit
Je remercie l'intervalle entre bombe et bombe
Je remercie les dalles qui ne cessent
de soutenir mes pas
Je remercie la pierre qui enseigne la patience

La lumière s'est éteinte
J'allumerai l'astre de mes rêves

Prends-moi ô amour
et cerne-moi de tous côtés

Célébrations,
traduit de l'arabe par Anne Minkowski
avec la collaboration de l'auteur.

13 avril 1975 : date officielle du début de la guerre civile libanaise. Bilan de quinze ans de conflits : plus de deux cent mille morts et autant de blessés, sans parler des destructions massives, prises d'otages, bombardements, francs-tireurs, voitures piégées et autres horreurs devenues quotidiennes.

BERNARD WALLET

La ville verte

Bernard Wallet éprouve pour Beyrouth en guerre un étrange amour, mêlé de fascination et de dégoût. Ici, il se promène dans les lieux délaissés de la ville, séparée en deux par la rue de Damas qui, devenue un no man's land, était envahie par la végétation.

Un cancer ronge Beyrouth. Un cancer fait de ronces, de sycomores et de figuiers sauvages a envahi la zone de démarcation qui sépare les deux communautés au point d'en constituer une frontière naturelle. Ici on l'appelle la Ligne Verte.

J'aime marcher dans ces rues végétales. Sous mes pieds, le sol est tendre, moussu. Des arbres poussent leurs branches entre les murs détruits.

Dans tout le centre-ville la végétation triomphe.

Sur la terrasse du centre Starco, un jeune palmier a jailli du béton. Et sur les pistes inutiles de l'aéroport, l'herbe a soulevé le bitume.

Beyrouth me manque.

Paysage avec palmiers.

SÉLIM NASSIB

Le centre-ville

La guerre est finie ! La radio l'a annoncé... Les pas du narrateur de Fou de Beyrouth *le mènent vers le centre-ville détruit et déserté, qui exerce sur lui une étrange attraction. Il y découvre un paysage de ruines envahies par la végétation : la nature a repris le dessus !*

Je dévale la rue du Grand-Sérail, le centre-ville est à mes pieds. Son périmètre noir apparaît sur une paume ouverte, appuyé contre le port. Zone détruite, interdite, cicatrisée. Je me laisse faire, je dénoue toute résistance. Je suis seul, rien ne m'empêche d'y aller. Chaque pas me fait perdre de l'altitude, me fait graduellement descendre au niveau des carcasses d'immeubles aveugles qui attendent de se refermer sur moi.

Il n'y a plus personne, même les sacs de sable n'existent plus, même plus les barbelés. Je sens pourtant l'approche de la frontière, une onde immatérielle, un drap invisible tendu au milieu de la rue. Je passe au travers et le centre-ville me prend. C'est une bulle où la pesanteur est différente, un entre-deux. Les ruines appartiennent à elles-mêmes, chacun y est chez soi. La guerre a commencé ici, elle a dévoré le lieu commun puis elle est partie ailleurs, elle n'y a plus pensé. Je sais bien que tout est démoli, ce n'est pas la destruction qui m'étonne, au contraire. C'est la végétation. Elle a pris possession du corps déshabillé, elle le couvre, elle travaille sous mes yeux à le digérer comme une douce forêt carnivore. La vie a poussé sous le bitume, elle l'a fait craquer, elle a gonflé les rideaux métalliques, elle les a éclatés. La nature rampe en s'appuyant sur chaque lézarde, chaque pavé disjoint reparu sous la lèpre du macadam. Elle enlace amoureusement les rails à demi enterrés, surgit entre les ruines encore dressées, se saoule à l'acide qui ronge les façades, chaque canalisation qui suinte la nourrit. Elle a conquis la ville silencieusement, avec une lenteur obstinée, des mouvements enveloppants, des nœuds coulants. Je m'attendais à une désolation qui serre le cœur, des pierres qui lèvent leurs moignons vers le ciel, qui jettent leur violence aux yeux des passants. Pas du tout. Je marche dans une irréalité bucolique, un jardin d'Éden poussé sur un squelette K.-O. debout, le bois dormant.

Il n'y a pas âme qui vive. Les immeubles hantés me fixent de leurs orbites noires et vides. Mais l'invasion du vert a adouci les formes, arrondi les arêtes. C'était terrible mais c'est passé. Le lierre a pris racine dans les pierres de sable et s'est étendu, je peux le voir avancer, seconde après seconde. La verdure progresse sur les montagnes de détritus, les bosquets se liguent pour masquer les trous d'obus. Les arbres grandissent sous mes yeux, certains ont quinze ans, l'âge de la guerre. Rien d'angoissant, rien de sordide, au contraire. Ce sont des ruines à la retraite, elles sont assagies, elles n'assaillent plus personne, quelle paix !

Fou de Beyrouth.

> En septembre 1975, la guerre atteint le centre de Beyrouth. Les lignes de démarcation s'ébauchent. L'incendie des vieux souks et du port ainsi que la bataille dite des grands hôtels détruisent, en moins de trois mois, la totalité ou presque du centre-ville qui, bien qu'accessible dès 1976, restera désert pendant près de quinze ans !

HASSAN DAOUD

La nouvelle ville

La réhabilitation du centre-ville de Beyrouth a été et demeure très contestée. L'écrivain libanais Hassan Daoud déplore ici le fait qu'en effaçant les traces de la guerre on ait ôté à la ville un pan de sa mémoire collective et individuelle.

Devant nous, la perspective de la rue se prolonge, toute droite, seulement interrompue par l'horloge, remise à sa place après être restée plusieurs années quelque part dans une des banlieues de la ville. De l'endroit où nous nous tenons, le dos tourné au Grand Théâtre, on voit bien que la tour de l'Horloge, toute droite, à la jonction de l'ensemble des rues, est visible depuis de nombreux autres points. Elle se dresse au milieu, en plein centre, et les voies semblent rayonner à partir de cet endroit pour diviser l'espace en sections bien égales. Ce sont les différentes avenues qui permettent d'accéder à la tour de l'Horloge. Bien qu'elles ne soient pas tout à fait des voies d'accès. Non qu'elles n'aient été encore ouvertes, ni même asphaltées ou éclairées, car tout y a été fait aussi bien que pour l'avenue qui descend depuis le Grand Théâtre et que tout le monde emprunte. En réalité, toutes ces voies d'accès sont plutôt des sorties. Et elles le resteront tant que ceux qui s'y engagent continueront à en ressortir aussitôt, ou quelques minutes plus tard seulement, le temps pour eux de faire un tour rapide dans les quartiers en contrebas, totalement déserts, hormis quelques gardiens postés dans les rues et au pied des bâtiments vides. « Bonsoir », disent les promeneurs, s'il leur arrive de croiser un gardien en uniforme, tout seul dans son coin. « Bonsoir », réplique-t-il alors, prêt, pour tuer le temps, à répondre à la question suivante, de celles que peuvent poser, après les politesses d'usage, des promeneurs qui viendraient à s'imaginer, par exemple, qu'on l'a posté à cet endroit pour répondre à leurs interrogations. « On peut passer par là ? » demandent les visiteurs en désignant l'étroit passage, totalement désert, entre les deux rangées d'immeubles. « Oui », dit-il. Rien qu'un mot, pas plus, car il ne conviendrait pas, au gardien qu'il est, d'ajouter quoi que ce soit à ce qui reste tout de même une réponse, pour ne pas se mêler de ce qui ne le regarde pas.

On a donc remis la tour à sa place, en plein milieu. Un tronc élancé, quatre ou cinq étages, juste assez larges pour qu'un escalier intérieur permette de réparer l'horloge en cas de besoin. Autrefois, c'est déjà à cet endroit qu'on l'avait installée, il y a de cela soixante-dix ou quatre-vingts ans peut-être… On n'avait pas imaginé qu'elle deviendrait un repère important – une « tour » ! – que l'on consulterait pour savoir l'heure depuis toutes les rues aux alentours et même depuis les fenêtres et les balcons des immeubles environnants, pleins d'agitation à cette époque. L'horloge était présente chez les uns comme chez les autres, avec son heure précise, identique pour tout le monde, même si chacun s'en allait rapidement de son côté, choisissant de se rendre là où il en avait envie. Un temps unique, dressé au-dessus des têtes, qui rassemblait tout le monde. De larges chiffres étalés sur les cadrans dont les huit aiguilles marchaient de concert. Avec des coups qui s'élevaient depuis l'intérieur de la machinerie, le temps de permettre à telle ou telle aiguille qui aurait pris du retard, mettons une minute ou deux, de rejoindre les autres pour renouer, à sept heures précises par exemple, avec leur marche à l'unisson. Naturellement, il fallait bien qu'une pareille précision soit un jour perdue puisque les choses, une fois en place, sont vouées à se dégrader.

Sept ou huit ans après son installation, l'horloge avait commencé à se dérégler et un des cadrans avait pris du retard sur les autres, bientôt imité par un second. Plus tard, quand la machinerie était devenue totalement silencieuse, personne n'avait pensé que l'employé chargé de l'entretien ne s'acquittait vraiment pas bien de la tâche qu'on lui avait confiée. Au contraire, on se disait que cette panne était bien normale après tout puisqu'une voiture, de la même façon, pouvait se détraquer peu à peu, au fur et à mesure du temps!... Par la suite, les gens prêtèrent de moins en moins d'attention aux caprices de l'horloge, à ses périodes de silence. En effet, ils portaient de plus en plus, au poignet, des montres qui les accompagnaient dans tous leurs déplacements. Des montres qui, désormais, fonctionnent toutes parfaitement en même temps, et qui les font revenir en cet endroit, là où ils avaient leurs habitudes, au Café de l'Étoile, au pied de la tour de l'Horloge. Les gens s'assoient face à l'horloge et à sa tour, face au rond-point et aux bâtiments qui font cercle tout autour. Personne, pourtant, aux fenêtres qu'on ouvre parfois et qu'on referme, juste pour aérer un peu. Pas de meubles derrière les vitres non plus. Tout est neuf, parfaitement neuf, absolument neuf, rigoureusement neuf. L'horloge au milieu de la place salue cette remise à neuf toutes les quinze minutes, d'un seul et unique coup qui proclame la nouveauté des temps.

Et puis, à l'heure précise, par une série de coups suivis par l'hymne national qui fait se dresser au garde-à-vous les deux sentinelles placées dans les parages. Tout est nouveau : une époque commence et rien en cet endroit n'a subi les injures du temps.

L'asphalte de la chaussée est encore si neuf qu'elle a conservé tout son noir profond.

Mais cela ne suffit pas à atténuer l'éclat de cette pierre unicolore dont sont faits tous les immeubles. Ils avaient été alignés les uns à côté des autres, quand on les avait édifiés la première fois, pour donner l'impression d'une masse uniforme, tout en longueur, faisant face, de l'autre côté de la rue, à une construction jumelle. À cette époque-là, il y a de cela soixante-dix ou quatre-vingts ans, les immeubles n'avaient pas l'air neufs, comme aujourd'hui. Au début, les boutiques au rez-de-chaussée se remplissaient de marchandises aussitôt qu'on avait posé les portes et à peine leur propriétaire avait-il pris possession des clés. Et c'est ainsi que les édifices se distinguent peu à peu, une fois construits, de ce à quoi ils ressemblent sur les plans des architectes. À présent, au terme de cette seconde construction, l'œil n'y trouve rien qui pourrait le distraire de cette couleur uniforme des pierres : un jaune mort, pareil à une poussière de soleil mais sans éclat, terne, qui n'empêche pas la pierre toute neuve de paraître dans tout son éclat. Les ouvriers, avec leurs outils de précision, n'ont sans doute ôté qu'une mince pellicule mais on dirait pourtant que cela a suffi à révéler au grand jour une luminosité jusque-là enfermée au cœur de la pierre.

C'est cela cette couleur à la fois éclatante et nue : l'intérieur de la pierre qui a gagné la surface. Ceux qui s'engagent dans la rue, laissant derrière eux le Grand Théâtre, ont l'impression que les immeubles ne sont faits de rien d'autre que de pierre. Peut-être qu'ils se souviennent, en descendant vers le centre, que la construction est vraiment un art ancien, pour lequel il ne faut rien d'autre qu'un terrain libre et des pierres tirées du sol.

Et par conséquent, dans la ville ainsi surgie de terre, il ne pourrait y avoir d'hommes puisqu'il faudrait qu'ils soient de notre époque, avec des vêtements semblables à ceux que nous connaissons, à ceux qui nous sont familiers. De même, dans la ville du génie, il ne pourrait y avoir de magasins, avec des vitrines pleines de produits et d'objets que nous utilisons, avec des affiches couvertes de mots qui parlent à notre imagination. Dans ces immeubles alignés de part et d'autre, on dirait qu'il y a une sorte de concurrence entre la pierre et l'architecture (qui reste, fondamentalement, une manière de dater un bâtiment). Chacune veut l'emporter, chacune veut dominer l'autre. Car il faut du temps pour qu'il y ait fusion, pour que ce qui se trouvait dessous la surface de la pierre perde de son éclat et ne soit plus, une fois mis au jour, une pellicule superficielle, et pour que nous disions, en regardant un endroit quelconque au quatrième étage, que c'était bien là, au quatrième, qu'il y avait ce tailleur chez qui nous étions allés...

Il faut qu'on puisse donner un âge à ces bâtiments. Sinon ils resteront ainsi, comme des choses attendues, toutes neuves, comme si on les avait exposés dans la vitrine d'un énorme magasin.

Pour celui qui arrive du Grand Théâtre, les immeubles collés les uns aux autres de chaque côté de la rue ont l'air, avec leurs pierres toutes fraîches, d'être sortis de terre d'un seul coup, comme par enchantement, comme dans les dessins animés. Comme si le bon génie disait au pécheur qui vient de frotter la lampe : « Voilà la ville ! » Un génie qui n'aurait pas eu le temps, dans son empressement à exécuter les ordres de son maître, d'y mettre tout ce qui aurait été nécessaire. Et puis, de toute façon, ses créations ne pourraient être qu'à son image, des choses sur lesquelles le temps n'a pas de prise. [...]

Ceux qui arrivent ici depuis le Grand Théâtre, même s'ils deviennent des habitués du Café de l'Étoile, n'auront jamais le sentiment d'ouvrir une nouvelle page dans la vie de cette ville. Ils n'auront pas l'impression d'écrire un texte, ligne après ligne, au fur et à mesure de leurs allées et venues. Ils ne feront pas une époque et n'annonceront pas une nouvelle vie. Tout cela parce qu'ils savent bien, comme tout le monde, que les lieux, pour être habités, doivent être partagés par d'autres personnes. Quand ils traversent la rue pour se rendre au café, il faudrait qu'il y ait des gens en train de regarder le spectacle de la vie. Celui qui en est encore à attendre que la vie reprenne, à guetter les premiers signes de vie, celui-là sait bien qu'il ne fait pas la vie à lui tout seul. [...] Les habitués du Café de l'Étoile, face à la tour de l'Horloge et au rond-point au milieu duquel elle est érigée, face aux immeubles qui dessinent, à leur tour, un autre cercle, ces habitués voient bien que personne n'est vraiment venu.

Partout où leurs yeux peuvent se poser, partout où ils peuvent se promener, personne n'a ouvert une seule boutique pour qu'ils puissent dire : Ça y est, ça a commencé !

Il n'y a rien autour d'eux qu'ils puissent regarder, qui puisse attirer leur attention.

Un consommateur assis à la terrasse d'un café, que peut-il regarder si ce n'est quelque chose devant lui, à côté de lui, susceptible de bouger ? Une fenêtre fermée qu'on ouvre, par exemple. Un homme qui sort d'un immeuble et qui tire ses clés de sa poche pour refermer la porte derrière lui. Quelqu'un sur un balcon qui fait un signe de l'autre côté de la rue… Que pourrait-il regarder cet habitué du Café de l'Étoile, qu'est-ce qui pourrait bien attirer son regard ? Que pourrait-il bien trouver à regarder sur le mur de cet immeuble s'il lui venait l'idée de l'examiner attentivement ? Qu'est-ce qui pourrait l'inciter à détourner les yeux pour scruter un autre pan de mur, sur un autre bâtiment ? Les habitués du café qu'on jurerait ouvert tout exprès pour permettre d'admirer la place de l'Horloge, les bâtiments à présent achevés, ils ne voient rien, rien que des parois vides, sur lesquelles rien n'a passé, desquelles on n'a rien effacé.

On n'y a pas collé d'affiches par exemple, qu'on aurait arrachées ensuite en laissant, bien visible, une trace de colle. Au pied des murs, à hauteur des pieds, on ne voit pas de marques sales, ni de traces de poussière, de cette poussière que projette d'ordinaire, au moins un peu, le piétinement des passants sans nombre. Tout l'immeuble, tous les immeubles, de haut en bas, n'ont qu'une seule et unique couleur.

Et eux sont assis, au café, au milieu de tout cela, comme s'ils étaient embarqués dans la nacelle d'une grande roue foraine, la plus grande et la plus haute de tous les manèges. Mais voilà qu'elle est tombée en panne et qu'elle les retient, prisonniers.

Beyrouth, à mots découpés.

Le projet de Solidere, société privée libanaise de développement et de reconstruction fondée en 1994 pour la reconstruction du centre-ville de Beyrouth, prévoit le développement de 180 ha de terrain dont 60 gagnés sur la mer ; il comprend l'installation d'une infrastructure moderne, la réhabilitation de certains bâtiments et surtout la construction de nouveaux édifices. Pour cela, cent vingt mille propriétaires et locataires ont été expropriés et délogés du centre-ville et dédommagés en actions. Le début des travaux a été précédé par une grande campagne de fouilles archéologiques, qui a eu lieu entre 1994 et 1995. Les vestiges des époques phénicienne, hellénistique et romaine qui furent mis au jour ont révélé une occupation continue de la ville depuis le IIIe millénaire av. J.-C. Le projet Solidere, très critiqué, est accusé de vouloir annihiler la mémoire des lieux, en transformant le centre autrefois populaire en une grande cité d'affaires élitiste et isolée du reste de la ville. À la fin de la première phase des travaux, qui concernait la place de l'Étoile et ses ramifications, le nouveau centre ressemblait, tel que le décrit Hassan Daoud, à un décor de cinéma neuf et désert. Aujourd'hui, cafés, restaurants et boutiques ont repris possession des lieux et le centre-ville, bien qu'il ait perdu sa vocation populaire de souk, est, malgré tout, redevenu un lieu agréable et très fréquenté.

RÊVER BEYROUTH

GÉRARD DE NERVAL

La Suisse de l'Orient

Après un bref épisode de folie, Gérard de Nerval (1808-1855) quitte Paris en 1842, pour un périple d'une année en Orient qui le conduira en Égypte, au Liban et en Turquie. À l'approche de Beyrouth, il est enchanté par la beauté du paysage. Cette ville à mi-chemin entre l'Europe et l'Asie, il l'imagine déjà sans la connaître comme un compromis idéal entre l'Orient et l'Occident.

Cependant, au moment d'atteindre le but, on se lasse de tout, même de ces beaux rivages et de ces flots azurés. Voici enfin le promontoire du Raz-Beyrouth et ses roches grises, dominées au loin par la cime neigeuse du Sannin. La côte est aride ; les moindres détails des rochers tapissés de mousses rougeâtres apparaissent sous les rayons d'un soleil ardent. Nous rasons la côte, nous tournons vers le golfe ; aussitôt tout change. Un paysage plein de fraîcheur, d'ombre et de silence, une vue des Alpes prise du sein d'un lac de Suisse, voilà Beyrouth par un temps calme. C'est l'Europe et l'Asie se fondant en molles caresses ; c'est, pour tout pèlerin un peu lassé du soleil et de la poussière, une oasis maritime où l'on retrouve avec transport, au front des montagnes, cette chose si triste au nord, si gracieuse et si désirée au midi, des nuages !

Ô nuages bénis ! nuages de ma patrie ! j'avais oublié

vos bienfaits ! Et le soleil d'Orient vous ajoute encore tant de charmes ! Le matin, vous vous colorez si doucement, à demi roses, à demi bleuâtres, comme des nuages mythologiques, du sein desquels on s'attend toujours à voir surgir de riantes divinités ; le soir, ce sont des embrasements merveilleux, des voûtes pourprées qui s'écroulent et se dégradent bientôt en flocons violets, tandis que le ciel passe des teintes du saphir à celles de l'émeraude, phénomène si rare dans les pays du Nord.

À mesure que nous avancions, la verdure éclatait de plus de nuances, et la teinte foncée du sol et des constructions ajoutait encore à la fraîcheur du paysage. La ville, au fond du golfe, semblait noyée dans les feuillages, et au lieu de cet amas fatigant de maisons peintes à la chaux qui constitue la plupart des cités arabes, je croyais voir une réunion de villas charmantes semées sur un espace de deux lieues. Les constructions s'aggloméraient, il est vrai, sur un point marqué d'où s'élançaient des tours rondes et carrées ; mais cela ne paraissait être qu'un quartier du centre signalé par de nombreux pavillons de toutes couleurs.

[...] Ô nature ! beauté, grâce ineffable des cités d'Orient bâties aux bords des mers, tableaux chatoyants de la vie, spectacle des plus belles races humaines, des costumes, des barques, des vaisseaux se croisant sur des flots d'azur, comment peindre l'impression que vous causez à tout rêveur, et qui n'est pourtant que la réalité d'un sentiment prévu ? On a déjà lu cela dans les livres. On l'a admiré dans les tableaux, surtout dans ces vieilles peintures italiennes qui se rapportent à la puissance maritime des Vénitiens et des Génois ; mais ce qui surprend aujourd'hui, c'est de le trouver encore si pareil à l'idée qu'on s'en est formée. On coudoie avec surprise cette foule bigarrée, qui semble dater de deux siècles, comme si l'esprit remontait les âges, comme si le passé splendide des temps écoulés s'était reformé pour un instant.

Le voyage en Orient.

Alphonse de Lamartine avait auparavant rapproché la ville d'un paysage des Alpes, mais Gérard de Nerval fut le premier à comparer Beyrouth à la Suisse. Une image qui perdurera ! S'il admet que la ville ne correspond pas tout à fait à « l'idée que s'en fait l'Europe, qui reconnaît en elle la capitale du Liban » et se demande : « Beyrouth retrouvera-t-elle les splendeurs qui trois fois l'ont faite reine du Liban ? », Nerval lui prédit une belle destinée : « Aujourd'hui, c'est sa situation, au pied de monts verdoyants, au milieu de jardins et de plaines fertiles, au fond d'un golfe gracieux que l'Europe emplit continuellement de ses vaisseaux, c'est le commerce de Damas et le rendez-vous central des populations industrieuses de la montagne, qui font encore la puissance et l'avenir de Beyrouth. » Mais son témoignage, loin d'être un simple récit de voyage, est volontairement romancé. Ce n'est pas la ville qu'il voit devant lui qui l'attire et qui l'enchante mais plutôt l'idée qu'il s'en fait : « Je ne connais rien de plus animé, de plus vivant que ce port, ni qui réalise mieux l'ancienne idée que se fait l'Europe de ces Échelles du Levant, où se passaient des romans et des comédies. » Il ne peut s'empêcher d'y projeter ses propres désirs, car quelque chose « de biblique et d'austère » se dégage de Beyrouth qui l'incite « à la méditation, à la rêverie ». Si Lamartine a trouvé son Éden à Beyrouth, Nerval, lui, s'est créé un « Orient de rêve ». L'œuvre « orientaliste » de ces deux voyageurs du XIXe siècle a imprégné l'inconscient de plusieurs générations d'Européens qui partirent à la recherche d'un Orient mythique et qui perçurent Beyrouth comme la cité idéale du Levant ; un compromis entre l'Est et l'Ouest, entre tradition et modernité.

MAURICE BARRÈS

Une invention française

À Beyrouth, « ce monde poétique qui le grise », Maurice Barrès a du mal à maîtriser ses émotions et à garder son « calme d'esprit » ; pourtant il en a besoin pour mener à bien son « enquête au pays du Levant ». Au cours d'une promenade le long de la mer, il se prend à rêver à l'histoire ancienne de la région. À la veille de la Première Guerre mondiale, une nostalgie pour les temps antiques l'étreint.

Par bouffées, le printemps commence de lutter avec avantage contre l'hiver et chauffe toute l'humidité du rivage. Aujourd'hui, le ciel et les montagnes sont encore chargés d'un brouillard opaque ; il n'y a pas un mouvement dans l'air ; une tiédeur enveloppe la ville, où le vent du désert fait tourbillonner la poussière.

Je vais achever ma journée le long de la mer. J'y croise les belles Syriennes étendues dans leur voiture avec trop de fierté, qui, des pentes du quartier des riches, sont venues respirer la brise du Rocher des Pigeons. Pourquoi me donnent-elles avec acuité la double sensation d'une turbulence brillante et passionnée et de l'immobilité de la mort ? C'est que, si charmantes sous leurs parures, qui leur font tant de plaisir, elles reproduisent exactement leurs aïeules, chargées de bijoux, qu'on voit sculptées aux cénotaphes de Palmyre. C'est aussi que je pressens leur grand rôle prochain. Invinciblement, dans mon imagination, cette minute d'un soir se rattache à toute l'histoire de Syrie. Je songe à la Delia de Tibulle, aux femmes d'Horace, à toutes ces belles affranchies dont mourut la vertu antique.

[...] Tandis que cette mer frappe et caresse la rive rocheuse, pourquoi n'irions-nous pas dans l'infini du rêve ? Les souvenirs et les prévisions viennent luire doucement, comme à fleur d'eau, sur ma mémoire, légères images tôt dispersées, qui me laissent, dans la solitude de cette route battue par la mer syrienne, un mélange de crainte et de nostalgie. La grande sarabande des races et des dieux ne va-t-elle pas recommencer ?

Voyage au pays du Levant.

Beyrouth, dont Loti décrit à peu près à la même époque « l'odieuse banalité », représente pour Barrès « la face lumineuse du pays », la cristallisation de ses espoirs. Parti à la recherche de « l'Asie gardienne d'une tradition efficace et l'un des espoirs du monde », Barrès croit avoir retrouvé la religion à l'état pur dans cette région que le positivisme, qui règne alors en France, n'a pas encore atteint. Il semble convaincu que les attentes déçues de l'Europe se réaliseront – grâce à la France – sur cette terre qui fut le berceau du christianisme. Il partage en cela l'avis du marquis de Vogüé (1829-1916), qui concluait son voyage de 1871 par l'affirmation que le Liban était une terre où les Français pouvaient « retrouver à chaque pas les vestiges de [leur] sollicitude séculaire, des trophées, des pierres, des idées qui crient [leur] nom ». D'où sa propre conclusion : « C'est qu'en effet la France, ici, est souverainement bienfaisante. Elle alimente et unifie ces nations, plus divisées encore qu'épuisées. »

NADIA TUÉNI

Beyrouth sanctuaire

Dans son recueil Liban, vingt poèmes pour un amour *dédié aux enfants de son pays, la Libanaise Nadia Tuéni (1935-1983) esquisse une « géographie poétique » du pays. En nommant Beyrouth, en mêlant le passé et le présent de la ville, elle tente d'en définir l'essence.*

Qu'elle soit courtisane, érudite, ou dévote,
péninsule des bruits, des couleurs, et de l'or,
ville marchande et rose, voguant comme une flotte
qui cherche à l'horizon la tendresse d'un port,
elle est mille fois morte, mille fois revécue.
Beyrouth des cent palais, et Béryte des pierres,
où l'on vient de partout ériger ses statues,
qui font prier les hommes, et font crier les guerres.
Ses femmes aux yeux de plages qui s'allument la nuit,
et ses mendiants semblables à d'anciennes pythies.
À Beyrouth chaque idée habite une maison.
À Beyrouth l'on décharge pensées et caravanes,
flibustiers de l'esprit, prêtresses ou bien sultanes.
Qu'elle soit religieuse, ou qu'elle soit sorcière,
ou qu'elle soit les deux, ou qu'elle soit charnière,
du portail de la mer ou des grilles du levant,
qu'elle soit adorée ou qu'elle soit maudite,
qu'elle soit sanguinaire, ou qu'elle soit d'eau bénite,

qu'elle soit innocente ou qu'elle soit meurtrière,
en étant phénicienne, arabe ou routière,
en étant levantine, aux multiples vertiges,
comme ces fleurs étranges fragiles sur leurs tiges,
Beyrouth est en Orient le dernier sanctuaire,
où l'homme peut toujours s'habiller de lumière.

Liban, vingt poèmes pour un amour.

Beyrouth est à l'image du poète : « au confluent de plusieurs cultures, exposée à l'Orient et à l'Occident, ouverte au désert et à la mer, enrichie par le merveilleux apport des grandes religions qui coexistent et dialoguent dans ce minuscule creuset unique au monde qu'est le Liban. » Une ville qui comme le phénix renaît sans cesse de ses cendres, un port où viennent s'échouer les idées, un havre pour les hommes quels que soient leurs horizons ; c'est cette vision de Beyrouth qui marque l'esprit arabe et occidental dans les années 1950, 1960 et 1970. Elle est d'ailleurs célébrée dans la plupart des guides de voyage de cette époque. L'écrivain Farjallah Haïk n'affirme-t-il pas : « Tout y est libre, le commerce, le change, la presse, l'individu » (Album des Guides Bleus, Liban, 1957). Salah Stétié le confirme : « Accueil, ouverture, tolérance, dialogue, ces mots qui le plus souvent paraissent d'un usage si redoutablement abstrait sont, dans ce pays, la règle et la mesure quotidienne des choses, même les plus modestes » (Guides Bleus, Liban, 1975).

ÉLIE-PIERRE SABBAG

Beyrouth ensorceleuse

Dans cet extrait de L'ombre d'une ville, *le narrateur réinvente, à l'intention d'une jeune fille qui n'a pas connu Beyrouth, la ville « torrentielle » qui a « emporté [ses] jeunes années ».*

Il me reste à te raconter ce qu'il y avait derrière ces terrains vagues, derrière ces couleurs fanées, ces images désuètes. Les sédiments du passé, les parfums capiteux, les désirs moites... Une ville de remparts détruits, de colonnes brisées, d'édifices prétentieux, de jardins suaves, de murs ocre, de rues raides. Une ville insomniaque, haletant sous les caresses de la brise marine. Ses ruelles ombragées, ses boulevards modernes qui mutilaient de vieilles maisons, se terminaient en impasse, ses ponts qui franchissaient des simulacres de rivière, ses balcons frileux, derrière leur rideau orange, cachant de violentes passions. Beyrouth nous déchirait. Des voitures rutilantes disputaient la route à un âne revêche chargé de fagots. Des femmes aux yeux volages promenaient leurs illusions sur un sable avide de leurs confidences. D'autres, agglutinées autour d'un amoncellement de brocarts, agitaient leurs bras laiteux. L'or des enseignes gargouillait le long des façades bosselées par les caissons de l'air conditionné. De hauts paniers d'osier erraient sur les épaules des portefaix. Un agneau goûtait son sang, couché dans le caniveau. Les marchands vantaient leurs produits comme un enfant. « C'est le meilleur, le plus pur, le plus parfait. Il n'y a pas deux comme lui... Peut-être en Amérique. Je vous le dis à vous, mais à vous seul. » Cloches et muezzins pavaient la journée de prières. Tout s'arrangeait. Des immeubles surgissaient dans un petit jardin ombragé. Des ouvriers dépeçaient les restes d'un vieux balcon en fer forgé. Les bétonneuses malaxaient leur mélange, bouche ouverte. Les hommes suaient. T'ai-je tout dit ? Des draps faisaient claquer leur éclat comme le coq chantait son audace virile. Les klaxons s'accordaient pour leur concert quotidien.

Beyrouth accueillait le poète, le marchand, l'étranger, le pauvre, avec le même sourire. Intraitable, elle rejetait les perdants d'une chiquenaude dans la mer. Pendant que les radios s'égosillaient en informations tragiques, les étudiants raturaient des pétitions. Les néons scandaient leur hoquet fulgurant. Les bijoutiers en rang d'oignon pesaient leur or. Au bout du port, près des tanneurs, les ordures brûlaient leur amertume. Beyrouth riait. Les voiliers blancs, les poissons, le bitume gras, les crabes, les périssoires couchées la regardaient s'esclaffer. Même ce cargo qui avait échoué près de la grotte aux pigeons. Pierre et moi avions été le voir se disloquer. Déjà des ferrailleurs lacéraient sa carcasse.

Je te parle d'un cœur démesuré. De ces jardins secrets au fond des impasses, des cafetiers qui sautaient d'un étage à l'autre offrant de savoureuses limonades glacées, des cireurs qui traînaient leurs ongles noirs sur nos chaussures, des vendeurs de journaux qui lisaient plus qu'ils ne vendaient, du concierge qui s'occupait des enfants de la voisine, de leurs sourires et de leurs peines qu'ils cachaient, plus ou moins, au fond de leur regard. Je te parle de lumières qui tanguaient dans nos yeux. Le grand phare priait pour le pêcheur assoupi. Des torches éclairaient les terrasses parfumées de jasmin. Beyrouth dansait. Beyrouth chavirait. Un enfant rêvait d'être roi, l'autre s'ennuyait au soleil, celui-là aidait son père à étamer de vieilles casseroles. Le long des plages, des torses s'engluaient d'huile solaire à l'ombre des cabanons pour riches. De jeunes audacieuses venaient y chercher l'aventure ; des bambins bâtissaient l'avenir ! grain de sable après grain de sable. Je ne t'ai pas parlé des nuits violettes, des rats, de la boue ou des fleurs d'oranger. Les grappes de raisin carillonnaient au soleil. En ce temps-là, nous vivions ensorcelés.

L'ombre d'une ville.

La Beyrouth des années 1970 que décrit l'auteur est un mélange d'éléments contradictoires, qui semblent coexister sans raison apparente. L'image de Beyrouth, ville de tous les possibles, persiste ; une ville aux bras ouverts qui accueillerait les individus, toutes religions et classes sociales confondues. Une terre d'opportunités, sorte d'Amérique miniature au cœur du Proche-Orient. Mais c'est aussi une ville impitoyable, qui ne tolère pas les perdants. Une ville ensorceleuse qui danse et rit au nez de tous, où nul ne se soucie de l'avenir tant la jouissance du moment présent est grande. Beyrouth avant guerre ou image nostalgique sublimant la réalité ?

HANAN EL-CHEIKH

Beyrouth perdue

Poste restante, Beyrouth *est une collection de lettres fictives qu'une jeune femme libanaise, Asmahan, écrit à ses amours, à ses amis, à Beyrouth, à la guerre qui ravage la ville, qu'elle hésite à quitter, car elle ne peut imaginer vivre ailleurs. Dans cette missive adressée à son amant, elle se remémore la Beyrouth d'autrefois.*

Du haut de la terrasse, Beyrouth était plongée dans l'obscurité, avec ses quartiers et ses ruelles enchevêtrées ; mais chaque détail était visible, comme sous un microscope. Du jour au lendemain, la ville avait cessé d'être cette femme libre et belle, entourée par le ciel, la mer et les arbres ; elle était devenue une sorte de pince aimantée qui allait rechercher les épingles jusque dans les recoins les plus reculés.

Était-ce bien là Beyrouth, telle qu'elle était jadis et encore naguère, boule de couleurs tourbillonnante, avec ses visages bronzés, ses maillots, ses voitures de luxe, ses pièces de théâtre, ses salles de cinéma, ses cafés, ses clubs de sport, ses yeux passés au khôl, ses cils allongés par le mascara, ses chanteurs et ses artistes mondialement connus, ses filles chevauchant des motos ? Avec ses buildings aux fenêtres tantôt fermées, tantôt grandes ouvertes, ses appartements comme des compartiments étanches, isolés de l'extérieur parce que leurs habitants ne voient rien d'autre que le bleu de la mer. Mais Beyrouth, c'était aussi les vieux quartiers, l'odeur des nourritures familières dans les escaliers des immeubles anciens, le bruit des tapis que l'on bat du haut des balcons. Forte de tous ces contrastes, Beyrouth donnait à ses habitants l'éternité.

Voilà ce que Beyrouth était jadis, et moi je haletais, j'observais de loin ce qui se passait, sans oser m'approcher, parce que je saisissais bien la distance qui m'en séparait ; je critiquais ces milieux et en même temps j'étais consciente de l'attirance qu'ils exerçaient sur moi. Je réprouvais la richesse de certains intérieurs beyrouthins mais je souhaitais posséder ce tissu qui rappelait les palais de Venise, je rêvais de poser ce chandelier couleur émeraude sur ma coiffeuse. Ce qui me tenait à l'écart de cette Beyrouth fascinante, c'était la foule qui l'entourait : femmes ou jeunes filles aux allures d'impératrices ou de princesses, dont tout, les coiffures et les vêtements, le maintien, la démarche, révélait la confiance en soi que donne l'expérience ; hommes, tous imprégnés de culture étrangère, qu'ils aient vraiment voyagé de par le monde ou non. Je me demandais pourquoi je restais là, perplexe, pourquoi je n'avançais pas pour faire comme les autres, qui se ruaient sur toutes les nouveautés sans savoir si elles leur convenaient.

Poste restante, Beyrouth,
traduit de l'arabe par Michel Burési et Jamal Chehayed.

Dans un climat de guerre, en pleins bombardements, Asmahan se lamente de la perte d'une ville qu'elle admirait mais à laquelle elle n'avait pas accès, une ville à la fois aimée et détestée par tous ceux qui « devant cet éclat s'étaient mis en tête de la détruire ». Elle pleure un mode de vie qu'elle n'a pas connu et qu'elle ne pourra plus connaître. Un futur, comme une promesse, auquel elle n'aura jamais goûté. Le paradis perdu en quelque sorte !

CLAIRE GEBEYLI

Écrire Beyrouth

Ce poème en prose de la journaliste et poète Claire Gebeyli, née à Alexandrie en 1935 et libanaise par alliance, fait partie d'une série de billets publiés dans le quotidien francophone libanais L'Orient le Jour *entre 1977 et 1986 puis rassemblés dans un volume intitulé* Dialogue avec le feu.

«BEYROUTH»

Écrire pour Beyrouth...

Telles des femmes voilées, les années écoutent aux portes, et les saisons, paupières baissées, frôlent ses débris, la soutane brûlée de ses murs. Seul le vent entre dans les chambres et parle bas sans que personne ne vienne briser son monologue.

Écrire pour Beyrouth...

Le rivage calcaire du marché vide, les barbelés plantés dans le quartier souillé des dernières batailles, la bouche noire des galeries dans la falaise des ombres.

Des signes gravés dans les passages, creusés dans le corps des immeubles, la poussière grise pour dire la colère du feu.

Derrière une persienne deux prunelles sans larmes. Une voix lointaine égrène des prières. Un chat déplace, anxieux, un lambeau de sa proie.

Écrire pour Beyrouth...

Comme il importe peu que les vieux équipages installent leur soie sur cette ville perdue dans le malheur. Que la mémoire gérante déploie son or sur les écailles pour rendre coupable la plaie et humilier, par des regrets, la Capitale otage...

Écrire pour Beyrouth...

Pour appeler encore, pour aimer vainement, pour se perdre et dormir dans ce vaisseau trahi par son chant et son plaisir de vivre.

Écrire pour Beyrouth...

Sa robe de mille alliances, sa matière quadrillée et ses artères obscures, ses ordres dans la nuit, et la pierraille rougie chaque jour par la lumière.

Écrire pour Beyrouth...

Pour l'écouter revivre, vaquer à ses travaux du temps et de la mort, et dénier l'absence. Pour inventer ce sable

qui, de son souffle égal, couvre d'une même blancheur
la pierre des tombeaux et les champs de maïs.

Dialogue avec le feu.

Ce poème symbolise la fin d'une ère. Pour écrire Beyrouth il ne s'agit plus de la rêver ; il faut dorénavant la décrire avec toute l'horreur que cela implique. Il faut l'exposer pour pouvoir se révolter contre sa destruction, sa disparition imminente ; faire un inventaire de ce qui existe vraiment pour pouvoir le conserver, s'il n'est pas déjà trop tard. La guerre du Liban a brisé le mythe de Beyrouth. Il faut recréer la ville. Beyrouth renaîtra-t-elle de ses cendres une fois de plus ?

ELIAS KHOURY

Grandir avec la ville

Né à Beyrouth en 1948, Elias Khoury a grandi à Achrafieh, dans le quartier est de Beyrouth. Son roman La petite montagne *est une série de portraits de la guerre civile, à laquelle il a activement participé. Il décrit dans cet extrait la transformation de l'univers qui a constitué son enfance.*

Nous l'avions appelée la petite montagne, quand nous étions enfants. Nous courions dans ses rues poussiéreuses ou sur les trottoirs d'asphalte qui nous blessaient les pieds. Nous courions les rues, occupés à nos petites affaires, et nous nous amusions. Les jours de vacances, j'allais, avec mon père et mes frères, dans les champs qu'on appelait Sioufi, et là, nous jouions en toute liberté sous les oliviers et les mélias. Là, nous nous mettions sur une haute colline qui dominait trois routes : celle du fleuve de Beyrouth, celle de Karm al Zeitoun, et une troisième, que nous appelions la route de la maison. Nous étions au sommet de la colline haute et vaste. Nous courions et nous avions toujours peur de basculer dans le vide, sur l'une des trois routes.

Il s'était mis au sommet de la haute colline, en tenant la main de son père. Il regardait les voitures qui passaient sur la route. Leur petite taille l'étonnait. Elles ne ressemblaient pas à celle qui l'emportait voir son oncle, loin. De très petites voitures qui roulaient à la queue leu

leu et ressemblaient à celle que son père lui avait achetée et qu'il poussait devant lui en chantant des chansons. Les voitures de métal roulent en silence. Mouvement perpétuel. Elles roulent les unes derrière les autres, en une file droite, sans un bruit, sans un coup de klaxon. Elles ne s'arrêtent pas. Dedans, il y a de petits personnages. C'est pas des enfants de mon âge, songeait-il. Quand il a demandé à son père le secret des petites voitures, celui-ci a répondu, avec un air très savant, qu'Achrafiyé était une montagne où les Beyrouthins venaient passer leurs vacances et que, comparée à Beyrouth, c'était une haute montagne, or la distance qui nous sépare de la route de Beyrouth, comme celle qui nous sépare de la route de Karm al Zeitoun, est très grande. Et plus les distances sont grandes, plus les choses paraissent petites. Quand tu auras grandi, tu verras les voitures très petites, parce que la vision est liée à la taille de celui qui voit. J'approuvais en hochant la tête sans avoir rien compris. Et souvent, je laissais mon père recommencer son histoire de distances et de voitures et je jouais à poursuivre un insecte doré qui s'envolait pour se poser sur l'herbe verte ou sur la branche d'un olivier.

Une longue file de petites voitures silencieuses. Nous nous asseyions au bord du précipice pour les contempler en attendant le jour où nous serions assez grands pour les voir encore plus petites, et parfois nous descendions sur la route pour les voir aussi grandes qu'en vrai. Elles roulaient sous nos yeux comme des gouttes d'eau colorées de tailles différentes. Des camions, des citernes d'essence, des petites voitures de toutes sortes que nous distinguions sans savoir reconnaître les marques ni expliquer à quoi elles servaient. Elles étaient petites et nous nous tenions par la main, attendant de grandir pour qu'elles soient encore plus petites. Nous nous tenions par la main, attendant de comprendre ce mystère. Je n'en revenais pas que la voiture soit petite parce qu'elle était loin. Et je rêvais aux histoires de nains qu'on nous racontait à l'école ou bien je pensais à cette histoire de l'homme que Satan transforme en nain, racontée par ma grand-mère.

La petite montagne était à sa place, les plantes qui couvraient son joli corps avaient commencé à céder la place aux routes, et nous étions contents parce que le premier cinéma de Sioufi ouvrait. Cependant, des surprises m'attendaient. Nous grandissions, mais ce que nous avions attendu si longtemps n'arrivait pas. Nous grandissions, nous allions à Sioufi regarder les voitures, mais les voitures aussi grandissaient. Nous grandissions et les voitures aussi. Il y avait du mouvement autour de nous et les bruits devenaient de plus en plus proches. Nous grandissions, les lignes droites se tordaient sur l'horizon, les bruits se rapprochaient de plus en plus, et les distances s'amenuisaient. En ce temps je marche seul, et la petite montagne se tord et se voûte. Je cherche déjà mes souvenirs du temps où le dimanche des Rameaux était une fête qui débutait à l'instant où nous sortions de l'église en chantant un cantique sur un air oriental. De ces souvenirs, il ne me reste qu'une petite photo oubliée au fond de ma poche.

Autour de moi, les voitures grandissent. Les arbres se rabougrissent ou disparaissent. Je grandis et les voitures grandissent ; leurs bruits, leurs couleurs, leurs formes me prennent à la gorge. Maintenant nous sommes capables de les identifier, mais nous ne comprenons plus rien des anciennes promesses et les vieux souvenirs ne sont que de simples promesses ou, simplement, des souvenirs.

La petite montagne,
traduit de l'arabe par Saadia Zaïm
et Christian de Montella.

Au début du XIXe siècle, la colline d'Achrafieh, qui en raison de sa légère élévation par rapport à la mer était devenue un lieu de villégiature estivale pour les Beyrouthins, appartenait à Youssef el-Saghir (Youssef le petit), d'où son surnom de Jebel es saghir : petite montagne. Achrafieh, qui fait aujourd'hui partie intégrante de Beyrouth, fut pendant la guerre la « capitale » de l'est du pays, le quartier de Hamra étant devenu celle de l'ouest. Les bouleversements que connaît ce quartier, d'abord en raison de la modernisation, puis à cause de la guerre, font perdre à l'auteur ses repères, ses structures et par conséquent son identité : « Tu es seul au cœur d'un fleuve de lumière qui t'éblouit et te vole la mémoire. Et tu pars à la recherche de ta maison, seul et sans souvenirs. »

MAHMOUD DARWICH

Qu'est-ce que Beyrouth ?

Août 1982. L'armée israélienne assiège Beyrouth. Du huitième étage de son immeuble, Mahmoud Darwich assiste, impuissant, à la désintégration de la ville. Il remonte le temps à la recherche d'explications, pose des questions auxquelles ne répondent que les sifflements des obus. Il tente de « mieux comprendre Beyrouth » : l'aime-t-il ?

Je ne connais pas Beyrouth. Et je ne sais si je l'aime ou non.

L'exilé politique y a sa chaise réservée une fois pour toutes. Plus exactement, chaque chaise a son exilé politique, qui n'en changera pas.

Au commerçant émigré tout loisir de constater que le vent des années cinquante, qui avait promis aux pauvres du monde arabe un sort meilleur, ne soufflait pas contre lui.

À l'écrivain, qui ne se berce plus d'illusions sur sa liberté et que son pays ne supporte plus, la liberté de se croire libre, sans savoir sur quel front il combat.

Au poète de naguère, la possibilité de posséder un pistolet, un garde du corps et de l'argent, pour devenir chef de bande, assassiner tel critique et acheter tel autre.

À la jeune fille élevée dans le respect des traditions, la liberté de cacher son voile au fond de son sac à main lorsqu'elle gravit la passerelle de l'avion et de disparaître avec son amant dans une chambre d'hôtel.

Au contrebandier, sa contrebande.

Et au pauvre, la pauvreté redoublée.

Chacun de ceux qui arrivent à Beyrouth voit Beyrouth à sa manière mais on ne sait, personne ne sait, si la somme conjuguée de ces images se confond avec Beyrouth. Ceux qui pleurent ne pleurent pas pour elle mais pour leurs souvenirs, ou pour leurs intérêts propres.

C'est peut-être ainsi, à travers tous ceux qui sont venus du monde arabe à la recherche de ce qui manque dans leur propre pays, que la rencontre des contraires s'est donné un nom si ambigu, s'est faite poumon pour permettre à quelques individus, à l'assassin comme à sa victime, de respirer, et que Beyrouth est devenue la chanson des différences et des divergences, sans que la foule de ses amants se demandent s'ils sont à Beyrouth ou dans leurs rêves. Car Beyrouth, personne ne la connaît, personne ne la recherche et peut-être, peut-être n'est-elle jamais là. C'est avec la guerre, seulement alors, qu'on a compris à quel point on la méconnaissait. Alors, Beyrouth a compris qu'elle n'était pas une ville, ni même un pays, et qu'entre cette fenêtre et cette autre, de l'autre côté de la rue, il y avait plus de conflits qu'entre Washington et nous… C'est seulement avec la guerre que les combattants ont compris que Beyrouth ne pouvait être en paix avec elle-même.

C'est seulement au moment des trêves que combattants et observateurs ont compris que cette guerre était sans fin et que la victoire, faute d'une défaite partagée, resterait à jamais indécise.

Tous ont peut-être alors compris qu'il n'y avait pas

de Beyrouth dans Beyrouth. Car cette femme assise sur un rocher est à l'image du tournesol mû par une force qui lui est étrangère : elle entraîne ses amants et ses ennemis, sans distinction, dans une ronde aveugle, où elle se donne et se refuse, ne se donne ni ne se refuse.

C'est la forme d'une forme qui n'a pas pris forme parce que le sort de la guerre à Beyrouth, de la guerre autour de Beyrouth, reste indécis, et parce que la certitude y est passagère, parce que la durée y est provisoire.

Ou bien encore : Prends une vague. Fais-la s'asseoir sur les rochers du bord de mer, à Raouché. Dissèque-la. Tu ne trouveras rien d'autre que tes deux mains plongées dans une magie sans fin ni début.

Une mémoire pour l'oubli,
traduit de l'arabe par
Yves Gonzalez-Quijano
et Farouk Mardam-Bey.

Beyrouth a-t-elle jamais existé ? Chacun voit Beyrouth à sa manière, mais l'assemblage de ces visions ne fait pas nécessairement une ville. Beyrouth était une illusion taillée à la mesure de celui qui la rêvait. Mais le rêve s'est transformé en cauchemar. Avec la guerre, Beyrouth devient légendaire à cause de sa destruction ; le nom Beyrouth est synonyme de chaos, de dévastation. Mais qu'on l'aime ou non, qu'elle nous plaise ou pas, que ce soit dans notre imaginaire ou au Journal télévisé, Beyrouth existe car c'est une ville qui ne cesse de se réinventer…

VIVRE BEYROUTH

ALPHONSE DE LAMARTINE

Le hammam

Au XIXe siècle, Beyrouth abritait de nombreux hammams. À l'époque, une invitation à un bain de femmes était annoncée quinze jours à l'avance, « comme un bal en Europe ». Mme de Lamartine et sa fille assistèrent à l'une de ces cérémonies, donnée à l'occasion du mariage de la fille d'un chef de la région. Lamartine rapporte minutieusement la scène ; si ce n'était l'abondance de faits et de détails, on croirait un épisode des Mille et Une Nuits.

Les salles de bain sont un lieu public dont on interdit l'approche aux hommes tous les jours jusqu'à une certaine heure, pour les réserver aux femmes ; et la journée tout entière, lorsqu'il s'agit d'un bain pour une fiancée, comme celui dont il est question. Les salles sont éclairées d'un faible jour par de petits dômes à vitraux peints. Elles sont pavées de marbre à compartiments de diverses couleurs, travaillés avec beaucoup d'art. Les murailles sont revêtues aussi de marbre et de mosaïque, ou sculptées en moulures ou en colonnettes moresques. Ces salles sont graduées de chaleur : les premières à la température de l'air extérieur, les secondes tièdes, les autres successivement plus chaudes, jusqu'à la dernière, où la vapeur de l'eau presque bouillante s'élève des bassins, et remplit l'air de sa chaleur étouffante. En général, il n'y a pas de bassin creusé au milieu des salles ; il y a seulement des robinets coulant toujours, qui versent sur le plancher de marbre environ un demi-pouce d'eau. Cette eau s'écoule ensuite par des rigoles, et est sans cesse renouvelée. Ce qu'on appelle bain dans l'Orient n'est pas une immersion complète, mais une aspersion successive plus ou moins chaude, et l'impression de la vapeur sur la peau.

Deux cents femmes de la ville et des environs étaient invitées ce jour-là au bain, et dans le nombre plusieurs jeunes femmes européennes; chacune y arriva enveloppée dans l'immense drap de toile blanche qui recouvre en entier le superbe costume des femmes quand elles sortent. Elles étaient toutes accompagnées de leurs esclaves noires, ou de leurs servantes libres; à mesure qu'elles arrivaient, elles se réunissaient en groupes, s'asseyaient sur des nattes et des coussins préparés dans le premier vestibule, leurs suivantes leur ôtaient le drap qui les enveloppait, et elles apparaissaient dans toute la riche et pittoresque magnificence de leurs habits et de leurs bijoux. Ces costumes sont très variés pour la couleur des étoffes et le nombre et l'éclat des joyaux; mais ils sont informes dans la coupe des vêtements.

Ces vêtements consistent dans un pantalon à larges plis de satin rayé, noué à la ceinture par un tissu de soie rouge, et fermé au-dessus de la cheville du pied par un bracelet d'or ou d'argent; une robe brochée en or, ouverte sur le devant et nouée sous le sein, qu'elle laisse à découvert; les manches sont serrées au-dessous de l'aisselle, et ouvertes ensuite depuis le coude jusqu'au poignet; elles laissent passer une chemise de gaze de soie, qui couvre la poitrine. Elles portent par-dessus cette robe une veste de velours de couleur éclatante, doublée d'hermine ou de martre, et brodée en or sur toutes les coutures; manches également ouvertes. Les cheveux sont partagés au-dessus de la tête; une partie retombe sur le cou, le reste est tressé en nattes et descend jusqu'aux pieds, allongé par des tresses de soie noire qui imitent les cheveux. De petites torsades d'or ou d'argent pendent à l'extrémité de ces tresses, et par leur poids les font flotter le long de la taille; la tête des femmes est en outre semée de petites chaînes de perles, de sequins d'or enfilés, de fleurs naturelles, le tout mêlé et répandu avec une incroyable profusion. C'est comme si on avait versé pêle-mêle un écrin sur ces chevelures toutes brillantées, toutes parfumées de bijoux et de fleurs. Ce luxe barbare est de l'effet le plus pittoresque sur les jeunes figures de quinze à vingt ans; au sommet de la tête quelques femmes portent encore une calotte d'or ciselé, en forme de coupe renversée; du milieu de cette calotte sort un gland d'or qui porte une houppe de perles, et qui flotte sur le derrière de la tête. Les jambes sont nues, et les pieds ont pour chaussures des pantoufles de maroquin jaune que les femmes traînent en marchant. Les bras sont couverts de bracelets d'or, d'argent, de perles; la poitrine, de plusieurs colliers qui forment une natte d'or ou de perles sur le sein découvert.

Quand toutes les femmes furent réunies, une musique sauvage se fit entendre; des femmes, dont le haut du corps était enveloppé d'une simple gaze rouge, poussaient des cris aigus et lamentables, et jouaient du fifre et du tambourin : cette musique ne cessa pas de toute la journée, et donnait à cette scène de plaisir et de fête un caractère de tumulte et de frénésie tout à fait barbare.

Lorsque la fiancée parut, accompagnée de sa mère et de ses jeunes amies, et revêtue d'un costume si magnifique, que ses cheveux, son cou, ses bras et sa poitrine disparaissaient entièrement sous un voile flottant de guirlandes de pièces d'or et de perles, les baigneuses s'emparèrent d'elle, et la dépouillèrent, pièce à pièce, de tous ses vêtements : pendant ce temps-là toutes les autres femmes étaient déshabillées par leurs esclaves, et les différentes cérémonies du bain commencèrent. On passa, toujours aux sons de la même musique, toujours avec des cérémonies et des paroles plus bizarres, d'une salle dans une autre; on prit les bains de vapeurs, puis les bains d'ablution, puis on fit couler sur les femmes les eaux parfumées et savonneuses, puis enfin les jeux commencèrent, et toutes ces femmes firent, avec des gestes et des cris divers, ce que fait une troupe d'écoliers que l'on mène nager dans un fleuve, s'éclaboussant, se plongeant la tête dans l'eau, se jetant l'eau à la figure; et la musique retentissait plus fort et plus hurlante, chaque fois qu'un de ces tours d'enfantillage excitait le rire bruyant des jeunes filles arabes. Enfin, on sortit du bain; les esclaves et les suivantes tressèrent de nouveau les cheveux humides de leurs maîtresses, renouèrent les colliers et les bracelets, passèrent les robes de soie et les vestes de velours, étendirent des coussins sur des nattes dans les salles dont on avait essuyé le plancher, et tirèrent, des paniers et des enveloppes de soie, les provisions apportées pour la collation : c'étaient des pâtisseries et des confitures de toute espèce, dans lesquelles les Turcs et les Arabes excellent; des sorbets, des fleurs d'orange, et toutes ces boissons glacées dont les Orientaux font usage à tous les moments du jour. Les pipes et les narguilés furent apportés aussi pour les femmes plus âgées; un nuage de fumée odorante remplit et obscurcit l'atmosphère; le café, servi dans de petites tasses renfermées elles-mêmes dans de petits vases à jour en fil d'or et d'argent, ne cessa de circuler, et les conversations s'animèrent; puis vinrent les danseuses, qui exécutèrent, aux sons de cette même musique, les danses égyptiennes et les évolutions monotones de l'Arabie. La journée tout entière se passa ainsi, et ce ne fut qu'à la tombée de la nuit que ce cortège de femmes reconduisit la jeune fiancée chez sa mère. Cette cérémonie du bain a lieu ordinairement quelques jours avant le mariage.

Voyage en Orient.

Il n'est malheureusement plus possible de s'adonner facilement aux joies du bain à Beyrouth aujourd'hui. Un seul bain public reste encore en service, Hammam el-Nouzha, à Basta el-Tahta (à quelques minutes du centre-ville) ; il est réservé aux femmes le lundi matin et accueille les hommes le reste de la semaine. À la fin du XIXe siècle, le centre-ville de Beyrouth abritait huit hammams. La plupart ont été détruits lors de la modernisation de la vieille ville dans les années 1930. Gérard de Nerval voulait se rendre à l'heure de la sieste dans une « maison de bains toute neuve et de style mauresque » qui se trouvait à l'entrée de la ville : « J'y pensais, quand l'aspect d'un rideau bleu tendu devant la porte m'apprit que c'était l'heure où l'on ne recevait dans le bain que des femmes. Les hommes n'ont pour eux que le matin et le soir… et malheur sans doute à qui s'oublierait sous une estrade ou sous un matelas à l'heure où un sexe succède à l'autre ! Franchement, un Européen seul serait capable d'une telle idée, qui confondrait l'esprit d'un musulman. » Le consul français

Henry Guys, qui déconseillait l'usage des bains turcs aux Français de passage car ce seraient de vrais foyers de maladies cutanées, rapporte une anecdote amusante : « Un homme fort crédule s'imagina un jour de vérifier s'il était vrai qu'en allant au bain, après avoir mangé du poisson et du lében (lait aigre), on devenait fou, et comme il trouva que son bon sens lui était resté quoiqu'il eût rempli les trois conditions, le plaisir de la découverte fut si vif chez lui que, voulant la faire constater au plus vite, il courut au milieu du bazar, en criant : "Voyez-moi, je suis allé au bain après un bon repas de poisson et de lében, et cependant, je ne suis pas devenu fou !..." Malheureusement son état de nudité complète contrastait grandement avec sa prétention d'avoir gardé la raison. »

GÉRARD DE NERVAL

Les souks

Les souks de Beyrouth, dont les rues étroites et tortueuses éveillaient la crainte des voyageurs européens de l'époque, séduisent Gérard de Nerval qui ne peut résister à la tentation de se déguiser en « Syrien » ; tout l'enchante, les tissus, la beauté des enfants, des costumes… Il ne semble trouver à la ville aucun des défauts que lui reprochent ses compatriotes.

Je sortis de la cour du palais, traversant une foule compacte, qui toutefois ne semblait attirée que par la curiosité. En pénétrant dans les rues sombres que forment les hautes maisons de Beyrouth, bâties toutes comme des forteresses, et que relient çà et là des passages voûtés, je retrouvai le mouvement, suspendu pendant les heures de la sieste : les montagnards encombraient l'immense bazar qui occupe les quartiers du centre, et qui se divise par ordre de denrées et de marchandises. La présence de femmes dans quelques boutiques est une particularité remarquable pour l'Orient, et qu'explique la rareté, dans cette population, de la race musulmane.

Rien n'est plus amusant à parcourir que ces longues allées d'étalages protégés par des tentures de diverses couleurs, qui n'empêchent pas quelques rayons de soleil de se jouer sur les fruits et sur la verdure aux teintes éclatantes, ou d'aller plus loin faire scintiller les broderies des riches vêtements suspendus aux portes des fripiers. J'avais grande envie d'ajouter à mon costume un détail de parure spécialement syrienne, et qui consiste à se draper le front et les tempes d'un mouchoir de soie rayé d'or, qu'on appelle *caffiéh,* et qu'on fait tenir sur la tête, l'entourant d'une corde de crin tordu; l'utilité de cet ajustement est de préserver les oreilles et le col des courants d'air, si dangereux dans un pays de montagnes. On m'en vendit un fort brillant pour quarante piastres, et, l'ayant essayé chez un barbier, je me trouvai la mine d'un roi d'Orient.

Ces mouchoirs se font à Damas; quelques-uns viennent de Brousse, quelques-uns aussi de Lyon. De longs cordons de soie avec des nœuds et des houppes se répandent avec grâce sur le dos et sur les épaules, et satisfont cette coquetterie de l'homme, si naturelle dans les pays où l'on peut encore revêtir de beaux costumes. Ceci peut sembler puéril; pourtant il me semble que la dignité de l'extérieur rejaillit sur les pensées et sur les actes de la vie; il s'y joint encore, en Orient, une certaine assurance mâle, qui tient à l'usage de porter des armes à la ceinture : on sent qu'on doit être en toute occasion respectable et respecté : aussi la brusquerie et les querelles sont-elles rares, parce que chacun sait bien qu'à la moindre insulte il peut y avoir du sang de versé.

Jamais je n'ai vu de si beaux enfants que ceux qui couraient et jouaient dans la plus belle allée du bazar. Des jeunes filles sveltes et rieuses se pressaient autour des élégantes fontaines de marbre ornées à la moresque, et s'en éloignaient tour à tour en portant sur leur tête de grands vases de forme antique. On distingue dans ce pays beaucoup de chevelures rousses, dont la teinte, plus foncée que chez nous, a quelque chose de la pourpre ou du cramoisi. Cette couleur est tellement une beauté en Syrie, que beaucoup de femmes teignent leurs cheveux blonds ou noirs avec le *henné*, qui partout ailleurs ne sert qu'à rougir la plante des pieds, les ongles et la paume des mains.

Il y avait encore aux diverses places où se croisent les allées, des vendeurs de glaces et de sorbets, composant à mesure ces breuvages avec la neige recueillie au sommet du Sannin. Un brillant café, fréquenté principalement par les militaires, fournit aussi, au point central du bazar, des boissons glacées et parfumées. Je m'y arrêtai quelque temps, ne pouvant me lasser du mouvement de cette foule active, qui réunissait sur un seul point tous les costumes si variés de la montagne.

Le voyage en Orient

Beyrouth n'a plus de souks aujourd'hui. Les bazars qui avaient tant émerveillé Gérard de Nerval ont entièrement disparu. Une partie a été rasée dans les années 1930, lors de la restructuration de la ville par les autorités françaises ; le reste, c'est-à-dire toute la zone des souks anciens qui se trouvait à l'ouest de la place des Canons, dont le célèbre Souk el Tawilé, a été d'abord saccagé par la guerre civile puis détruit en 1992 en vue de sa reconstruction. Les nouveaux souks, un projet confié à quatre équipes d'architectes, dont l'Espagnol Raphaël Moneo, devraient bientôt les remplacer. Mais il s'agit plutôt d'une sorte de galerie commerciale moderne que de vrais souks orientaux...

CHARLES REYNAUD

Rituels beyrouthins

Dans D'Athènes à Baalbek, *Charles Reynaud (1821-1853) relate le voyage qu'il fit au Levant à l'âge de vingt-trois ans, quelques années avant de mourir d'une fluxion de poitrine. Il esquisse ici un portrait de Beyrouth et de ses habitudes, qui, à deux siècles d'écart, semblent se maintenir.*

Dans les soirées du printemps, la foule des promeneurs envahit un petit chemin plat qui côtoie le rivage du côté de Sidon et qui le domine de quelques pieds. On l'appelle Raz-Beyrouth, du nom d'un cap auquel elle aboutit. Les cavaliers francs ou arabes, les femmes montées sur des ânes viennent y aspirer les fraîches exhalaisons du soir, pendant qu'à l'abri d'un rocher s'ébattent les baigneurs. À cette route aboutissent de nombreux sentiers resserrés entre deux murs de cactus. Ils conduisent aux *villas* répandues parmi les arbres de la colline. La plupart de ces maisons appartiennent à des familles chrétiennes qui vivent dans l'aisance. Chacune d'elles possède un joli petit salon garni de nattes et entouré d'un divan blanc. C'est là qu'on reçoit les amis ou les étrangers. On peut voir le soir, assises sur les balcons et les terrasses, les femmes arabes vêtues de robes de soie aux couleurs éclatantes. Leurs cheveux sont mêlés de tresses de soie et de pièces de monnaie, et tombent sur leurs épaules, comme un manteau de velours noir semé de paillettes d'or.

Mais dans les ardeurs de l'été, quand les vents qui soufflent du désert apportent dans les villes de la côte les fatigues et les défaillances d'une atmosphère embrasée ; quand l'air manque aux poumons ou les brûle, le Raz-Beyrouth est désert. C'est sur les terrasses des maisons de la ville que les habitants viennent attendre quelque souffle bienfaisant de la brise. De là, on voit le soleil se coucher dans la mer au milieu d'une vapeur rougeâtre. Au moment où il disparaît, chacun des vaisseaux de guerre en station dans le port tire un coup de canon et tous les pavillons tombent subitement du haut des mâts. Dans les casernes résonnent les roulements de tambour qui terminent la prière militaire, et qui s'interrompent par trois fois pour laisser pousser aux soldats réunis trois hourras à la gloire du sultan. Puis tout rentre dans le silence. Ce moment a une espèce de solennité. Toute cette population répandue sur les toits a l'air d'attendre quelque phénomène extraordinaire. On dirait que la nuit va rendre la vie et la respiration à tout ce pays énervé. Mais souvent l'attente est vaine, et tout reste plongé dans une inertie semblable à la mort.

On voit déjà à Beyrouth quelques-uns de ces chevaux arabes de grande race qui sont merveilleux d'intelligence et de beauté. C'est un véritable plaisir que de voir un de ces animaux superbes passer comme une apparition sur le sable de la grève, les naseaux ouverts et la crinière au vent. Le bois de pins planté au-delà de la ville leur offre aussi une arène magnifique. On y arrive en suivant des chemins profonds creusés dans une terre rouge et sablonneuse. Des cafés sont disposés à l'ombre des arbres pour le repos des cavaliers. Ce bois domine la plaine qui s'étend jusqu'à la base du Liban. Elle est couverte d'oliviers au-dessus desquels s'élève de temps en temps un groupe de grands palmiers qui balancent leurs têtes flexibles et gracieuses : au-delà, le Liban apparaît dans toute sa splendeur ; il déploie ses collines onduleusement, avec leurs crêtes couronnées de villages et de couvents, avec leurs pentes coupées de vignes, de terrasses, de forêts, jusqu'à ce que la végétation s'efface peu à peu pour laisser saillir dans le ciel les contours arrondis de sa cime nue. Aussi Beyrouth est le centre des excursions dans la montagne ; car là, plus qu'en tout autre lieu, elle déploie ses magnificences et semble solliciter les désirs du voyageur.

D'Athènes à Baalbek, 1846.

On pourrait reprocher à Reynaud son style un peu trop descriptif mais les courses de chevaux à l'hippodrome qui jouxte le bois des pins, les soirées d'été passées sur les toits et les balcons des immeubles à guetter le moindre courant d'air et les promenades le long de la Corniche, les soirs de printemps, rythment toujours la vie à Beyrouth. Point de rencontre de tous les Beyrouthins, fréquentée à toute heure du jour et de la nuit, la Corniche, de son vrai nom l'avenue de Paris, est un large boulevard qui longe les franges littorales nord et ouest de Beyrouth, offrant une échappée vers la mer, loin de l'agitation de la ville. Fréquentée dès quatre heures du matin par les joggers, la Corniche est envahie, le soir venu, par les citadins qui se promènent ou discutent en buvant du café et en grignotant du bizr (pépins de citrouille séchés), du maïs cuit et du kaak (délicieuses galettes sèches et creuses, garnies de thym et de summak) proposés par les marchands ambulants.

Quant à la forêt de pins, plantée au XVIIe siècle par l'émir Fakhreddine pour empêcher les glissements de terrain et assainir l'air de la ville, elle a été entièrement dévastée après l'invasion israélienne de 1982 et a récemment fait l'objet d'un projet de réaménagement et de reboisement. L'hippodrome, construit dans une partie du bois après la Première Guerre mondiale, accueille à nouveau, tous les dimanches, des courses de pur-sang arabes.

ANDRÉE CHEDID

Promenade dans Beyrouth

Dans les années 1960, l'écrivain Andrée Chedid s'improvise guide du Liban le temps d'un ouvrage. Elle recommande d'abandonner la voiture pour visiter les quartiers de Beyrouth à pied. Comme elle a raison ! Les embouteillages font encore et toujours partie intégrante du quotidien beyrouthin. Et ce n'est qu'après avoir déambulé dans les petites rues et exploré Hamra, Achrafieh et le nouveau centre-ville que l'on peut commencer à comprendre la ville.

Flâner *cum dignitate,* disaient les Latins. C'est tout un art, qu'il faut réapprendre ici. Autant il est plaisant de rouler en voiture à travers le Liban, autant à Beyrouth on se sent chambré, emprisonné dans cette coquille de métal sans cesse frappée de paralysie à cause de l'intensité et de l'embrouillamini de la circulation. En pays du Sud, tout est dans la rue. La vie s'y donne, s'y prodigue, s'y catapulte, se surprend dans un sourire, se devine à travers les mots, se découvre dans le trop-plein des gestes.

Le cœur trépidant de la cité se trouve à la place des Canons ou place des Martyrs, large espace investi par quelques arbres exténués, par des kyrielles de boutiques, un monument discutable et discuté, des rues qui partent en tous sens. *Cum dignitate.* On marche, en suivant ses propres pas, sans jamais courir le risque de s'égarer.

« Vous ne trouverez nulle part en Europe plus de bienveillance et d'accueil qu'on ne prodigue ici », disait Lamartine. Rien n'a changé. Le Libanais a le don de se faire plaisir en offrant son aide. Il sortira de sa route pour indiquer à quelqu'un son chemin ; son temps devient, tout naturellement, le vôtre.

Il faut prendre une rue, puis une autre : croiser l'autobus bondé qui menace de faire éclater la ruelle, se dépayser dans les souks, chapelet de petites échoppes, accolées l'une à l'autre. Modestes comme des boîtes d'allumettes, elles regorgent de trésors : du nécessaire au superflu, produits locaux et d'ailleurs : France, USA, Japon, URSS, Tchécoslovaquie... On y trouve l'inimaginable.

Il faut s'étourdir dans ce capharnaüm de sons, de couleurs, d'odeurs qu'est le marché des victuailles : rouge des viandes à l'étal, femmes à voile blanc, pourpre des pastèques entamées, l'enfant en vêtements gris désert pleurant sur une marche, dames en cheveux soignés, soleil cru traversant la toile bistre des tentures ; cuir et sucreries, monticule de pains porté à bout de bras sur de longs plateaux de bois... Un Breughel revu par Murillo.

Beyrouth possède aussi sa place de l'Étoile – hommage ou utopie ? Là se dressent le Parlement et la Bibliothèque nationale. Non loin la Grande Mosquée, à l'emplacement même où s'élevait d'abord un temple païen, puis un édifice byzantin, sur lequel les croisés construisirent une église.

La rue Bab-Edriss côtoie un marché aux fleurs et pique, étroite, en cou de cygne, dans la direction d'une large avenue qui conduit à la mer. Débordant de charme et d'imprévus, elle va par monts et par vaux, s'étrique jusqu'à l'asphyxie pour soudain s'ouvrir de tous ses poumons sur le large.

À l'ouest, le quartier d'Al Hamra, vaste centre commercial moderne, avec ses cinémas, ses galeries, ses magasins, rappelle ceux d'Europe.

Un building aux lignes hardies surprend parfois agréablement. Architecture sobre et neuve due à des artistes de talent. Bâties en matières nobles, acier, marbre nuit, pierre, ces constructions voisinent souvent avec des bâtisses dont les couleurs s'entrechoquent, dont les traits s'empâtent, qui jouent à *faire* riche et sont d'une agressive laideur.

En cours de route, on tombe parfois en arrêt devant une ancienne demeure libanaise. Coincée entre deux bâtiments informes, on dirait un *hiatus* de grâce et de bon goût. Maisons-tiges surmontées de leurs solides toitures rouges à quatre pans, elles ont de longues fenêtres en ogives, des élégances florentines, des balcons ajourés. Au quartier Sursock, qui fait penser à un Neuilly désuet, il en reste plusieurs, au milieu de leurs jardins appliqués, protégés par de hauts grillages. Le musée Sursock est une des plus belles de ces demeures ; ouvert au public, il offre des expositions d'artistes libanais, des pays arabes ou de l'étranger. Hélas, ces joyaux disparaissent pour céder la place à des immeubles de rapport.

Le Liban.

Le vieux quartier de Gemmayzé et le quartier Sursock, à Achrafieh, sont sans doute les plus beaux de Beyrouth. Le long de la rue Sursock subsistent de magnifiques villas du début du siècle, la plus spectaculaire étant la villa Nicolas Ibrahim Sursock. Cet hôtel particulier à trois étages, élevé en 1914, abrite derrière ses façades blanches le musée Sursock. Depuis son ouverture en 1954, le musée organise chaque année un Salon d'automne des artistes libanais, mais aussi des expositions, des manifestations et des rétrospectives d'artistes locaux et internationaux. Beyrouth n'étant pas très riche en musées, il ne faut surtout pas le manquer ! Il en va de même pour le Musée national, où sont exposés les plus beaux trésors archéologiques du pays. Le quartier de Gemmayzé, en contrebas du quartier Sursock, abrite aussi quelques belles maisons et de petits immeubles de trois ou quatre étages avec des balcons à arcades, typiques de l'architecture beyrouthine du début du XXe siècle. Hamra, rue commerçante célèbre dans les années 1960 pour ses cinémas modernes, ses boutiques de mode et ses cafés-trottoirs, a vieilli ; elle n'a plus rien de pittoresque, mais reste très animée. L'architecture du quartier est en majorité moderne, mais on peut y voir quelques bâtiments datant de l'époque du mandat français. Attention : s'il est aisé de flâner dans un quartier, il est difficile de se rendre de l'un à l'autre sans moyen de transport.

GEORGES RUBEIZ

Zeitouné

Avec beaucoup de fraîcheur et de spontanéité, Georges Rubeiz, né en 1937 dans le quartier de Clemenceau à Ras-Beyrouth, où il a grandi, raconte dans L'enfant et la ville *ses souvenirs de jeunesse, dans le dessein sans doute de préserver une époque à jamais disparue.*

Les voyageurs arrivaient par la mer. À quelque distance des quais surgissaient les premiers hôtels. Ils portaient un nom : *lokanda,* terme désuet qui continue d'être utilisé parfois par la très vieille génération.

Le quartier Zeitouné avait été choisi pour sa proximité et son accès facile à partir du port. On évitait ainsi aux arrivants la traversée malaisée et malodorante de la ville.

La plupart de ces *lokanda* étaient tenus par des ressortissants grecs, italiens, maltais, héritiers de ces populations qui, de tout temps, n'ont jamais cessé de sillonner la Méditerranée.

Au fil des ans, ces établissements avaient peu à peu disparu. Seul subsistait le Grand Hôtel Bassoul. Vieillot, insolite, avec ses arcades, ses tuiles rouges et son petit jardin qui surplombait la rue, il avait défié les ans, les intempéries, les guerres et résistait au temps qui passe.

À l'origine, le Grand Hôtel Bassoul avait un débarcadère pour accueillir les voyageurs et leur éviter les inconvénients d'une traversée pédestre. Mes souvenirs ne remontent pas si loin. L'hôtel Bassoul de mes souvenirs avait perdu de sa grandeur et de sa superbe mais, avec son architecture à l'ancienne et sa façade rose décrépie, sa présence avait un caractère de pérennité qui rassurait.

Entre l'hôtel Bassoul et l'hôtel Normandy, un des fleurons de l'industrie hôtelière des années quarante, un tronçon de l'avenue des Français bordé de palmiers était la promenade favorite des citadins. Avec le temps, le quartier s'était bâti autour. Des gargotes, des cabarets, des bars, des hôtels à l'étage où officiaient des dames de petite vertu et des restaurants à mezzés. C'était le quartier de nuit, le Pigalle du cru.

Il y avait même un cinéma, le Rialto. Dès les beaux jours, pour éviter la chaleur, les films étaient projetés sur la vaste véranda qui surplombait la mer. À chaque changement de pellicule, la séance s'arrêtait, la lumière revenait. Un autre cinéma, Paradiso.

En plein air, les spectateurs prenaient leurs aises. Ils fumaient, écrasaient leur mégot et crachaient les pépins de pastèque à même le sol. Depuis les barques surchargées de resquilleurs montaient des rires, des airs populaires scandés par les battements de mains et par les roulades des *derbakkés.*

Loin à l'arrière, il y avait des places réservées aux fumeurs de narguilé. Ils profitaient de l'entracte pour rallumer leur instrument ronflant. Un «*Nâra!*» impératif, souligné par un claquement de mains, le préposé aux braises accourait et ravivait le foyer.

Au loin, les lamparos des pêcheurs, les chansons, l'odeur douceâtre du tombac qui se mêlait aux effluves du large, il faisait bon vivre au Pays des Dieux.

Le Rialto ferma ses guichets bien avant l'époque où, ayant épuisé les ressources du quartier réservé, on se mit à hanter les boîtes de Zeitouné.

L'enfant et la ville.

Les années de gloire du quartier de Zeitouné, haut lieu de la vie nocturne avec ses cabarets et ses boîtes de nuit aux noms évocateurs tels Kit Kat et Lido, prirent fin avec la guerre civile. La totalité du secteur, l'hôtel Normandy y compris, a définitivement rendu l'âme il y a quelques années sous les bulldozers du projet Solidere. L'hôtel Normandy avait donné son nom à la baie qu'il surplombait, devenue ensuite un dépotoir. En effet, pendant la guerre, les habitants du quartier ouest de la ville, ne pouvant accéder à la décharge qui se trouvait de l'autre côté de la ligne de démarcation, déversaient leurs ordures dans la baie. Tant et si bien que ce magma de poubelles s'amalgama pour former un remblai. C'est ainsi que Beyrouth gagna soixante hectares sur la mer. Cette zone, actuellement en cours de traitement, accueillera au cours de la deuxième phase du projet Solidere un quartier d'habitations et de bureaux avec de grandes tours. C'est ce qu'on appelle de la récupération ! En revanche, tous les immeubles qui se trouvaient en bordure de mer, ainsi qu'une partie de l'avenue des Français, se retrouvent aujourd'hui à l'intérieur des terres.

NADIA KHOURY-DAGHER

Raouché

Un jour de mai 1995, la journaliste Nadia Khoury-Dagher décide de revenir sur les lieux de son enfance, qu'elle redécouvre après vingt et un ans d'absence. Elle fait le récit de ses retrouvailles avec Beyrouth à travers un texte à la fois factuel et teinté de nostalgie. Pour son premier soir en ville, elle part à la recherche des effluves des gardénias de Raouché.

Pour un premier contact avec la ville le soir, c'est à Raouché que j'ai envie d'aller, à la Corniche, ancien cœur battant du Beyrouth nocturne, où l'on trouvait, pour tous les âges, les meilleurs glaciers, les restaurants panoramiques, et les boîtes de nuit dont on parlait jusqu'à Paris.

Surprise d'abord de voir la mer si proche du centre-ville, deux coups de volant et nous y voilà déjà, Beyrouth ville maritime mais petite les distances me semblaient immenses, je me souviens de journées à attendre, alors que nous débarquions enfants de France avec comme seul désir la plage, de ces deux ou trois jours qui nous semblaient comme des éternités avant que l'on nous emmenât à la mer.

À la Corniche, donc, déjà et si vite, plaisir fou de voir la mer dans la nuit, petites lumières des barques dispersées au loin, route qui roule et tourne et monte et descend, comme si la montagne ne s'arrêtait vraiment qu'au contact de l'eau, reliefs géologiques jusque dans la ville.

Le centre-ville était désert : les Beyrouthins sont venus humer l'air marin. Sur la promenade qui surplombe la mer et épouse les contours de la roche, une foule éparse, couples la main dans la main, jeunes gens juchés sur les rambardes, familles serrées sur des bancs, marchands de mille choses accroupis dans le noir. J'achète un de ces pains au sésame et au thym qui faisaient les délices de mes goûters d'enfant et auquel je n'ai pas goûté depuis plus de vingt ans, à côté on vend des fèves, de la grosse marmite s'échappe l'odeur sucrée et familière du plat populaire. Je déambule sur la corniche, mon pain au sésame à la main, dans le ciel quelques étoiles très haut, les jeunes gens n'importunent pas la jeune femme seule la nuit, sans doute la guerre les a-t-elle habitués à des spectacles plus insolites.

Sur le terre-plein central un garçon a les bras chargés de colliers de fleurs de gardénias, je lui en prends un, et crois fondre de nostalgie. Nous achetions ces colliers de retour de la plage le soir, et les humions pendant le trajet en voiture jusqu'à la maison, et depuis dans tous mes voyages une fleur de gardénia c'était Beyrouth qui me revenait en mémoire. J'enfouis le nez dans le collier que je tiens des deux mains et je respire avec un bonheur fou ces fleurs que j'adore – ce soir à Raouché j'ai retrouvé le parfum de mon enfance.

Sur le trottoir opposé, la modernité a avancé à grands pas, en une enfilade de cafétérias, snack-bars, take-away et pizzerias, violemment éclairés de néons. Sur l'avenue, des voitures qui klaxonnent, une procession de mariage, et un couple de mariés se fait photographier devant la mer la nuit, comme au Caire sur les ponts du Nil, photographies urbaines et nocturnes de noces populaires. La mariée porte le voile islamique, comme les parentes et amies qui l'entourent bruyamment, et elle est maquillée avec excès, comme on maquille ce jour-là les jeunes filles des classes populaires en Orient, maquillage qu'elles portent parfois pour la première fois.

Dans le restaurant La Grotte aux pigeons – Lagrôtobijoûn dit aussi l'enseigne en arabe – si fameux autrefois, un autre mariage avec mariée et invitées voilées se célèbre, on entend la musique trop forte, et l'on aperçoit le couple de mariés qui trône immobile et silencieux au milieu de la fête, comme dans tous les mariages populaires.

Sur la promenade, de nombreuses femmes sont voilées.

– Pourquoi viens-tu ici ? m'avait demandé le chauffeur du taxi en m'amenant. Jounieh c'est mieux.

J'avais deviné qu'il était chrétien, peut-être à cause de son français parfait, surtout parce qu'il était attaché à l'hôtel, dans ce quartier chrétien d'Achrafieh.

Raouché est à Beyrouth-Ouest, zone musulmane depuis la guerre, Jounieh en zone chrétienne. Raouché l'ancienne noctambule est devenue promenade populaire avec femmes voilées.

Le restaurant La Terrasse surplombe magnifiquement la mer. Hommos avec beurre Hummos with butter Hummous mit Buter 325 calories annonce la carte, qui date d'avant-guerre, non seulement par son plurilinguisme touristique, mais aussi parce que l'ancien prix transparaît sous le nouveau : le plat de l'ordinaire hommos, qui valait 2,25 livres avant-guerre, vaut 8 000 livres aujourd'hui, première et brutale leçon d'économie sur la terrible dévaluation de la livre au Liban.

La glace « arabe » de la carte est verte, jaune, rose, et blanche, couleurs vives comme les robes des femmes des milieux populaires, parfums tout orientaux de la pistache, de la rose, du citron vert et de la fleur d'oranger. Les glaces sont nées dans cette région du monde, le mot sorbet vient de *sherbet* qui signifie sirop, les sultans ottomans en raffolaient, pour eux autrefois les chameaux descendaient chargés de neige de la montagne libanaise, et cette glace arabe au goût unique et aux couleurs insensées me dit à elle seule l'enracinement oriental de ce pays.

Sur la terrasse, des familles, des groupes d'amies, des hommes, ici on dîne de brochettes et de poissons grillés, là on fume le narguilé en buvant une bière fraîche. À la table voisine, une femme venue avec mari et enfant fume le narguilé, geste inconcevable en public dans tout autre pays arabe, plus loin deux femmes, cigarettes à la main, bavardent en riant avec le serveur, pendant toutes ces années passées dans d'autres pays arabes on me parlait avec admiration et envie de la liberté extraordinaire des femmes du Liban, je sais aussi que la liberté des femmes et les libertés tout court ne peuvent qu'aller de pair, le Liban pays arabe vraiment pas comme les autres.

Dans la nuit marine, les parfums se mêlent, charbon de bois, tabac sucré des narguilés, fleurs de gardénias, les conversations sont calmes, parfois un rire fuse, douce nuit de printemps, ce soir à part les carcasses d'immeubles aperçues en taxi je ne vois rien de la guerre, la guerre s'est envolée, en ce début d'été.

Beyrouth au cœur.

Plus connue sous le nom de Raouché, l'avenue du Général-de-Gaulle est le prolongement de la Corniche. Elle est surtout célèbre pour ses grottes aux Pigeons : deux impressionnants rochers creusés en arches par la mer – que défiaient autrefois des armées de plongeurs et quelques amateurs de suicide. C'est aussi près de ces rochers que les plus anciennes traces de présence humaine à Beyrouth furent mises au jour. Surplombant les grottes, de nombreux restaurants et cafés proposent une cuisine de plus en plus occidentalisée ; leurs néons multicolores donnent au quartier, la nuit, un air de Las Vegas miniature. Seul subsiste intact le Café Chatila, où prendre, à l'heure du coucher du soleil, un café et un narguilé vous fera oublier le reste de la ville et du monde : « Dans le bas, sur la plage, en face de la petite île, se trouvent quelques grottes dites grottes des pigeons. Pour pénétrer à l'intérieur, on prend une barque. Vis-à-vis de la troisième grotte, il y a une ouverture du rocher, au-dessous de laquelle, lorsque le soleil se trouve derrière, des jeux surprenants de lumières et de couleurs se produisent sur l'eau » (Guide Baedeker, Palestine et Syrie, 1893).

DOMINIQUE EDDÉ

Le café

Dans la lettre qu'écrit un vieil homme libanais à son amie absente pour lui raconter sa vie à Beyrouth pendant la guerre civile, il dit l'importance du café dans le quotidien des Libanais. Un rituel immuable qui accompagne le moindre acte social ; les pires comme les meilleurs moments de l'existence.

C'est d'abord la série des petits riens qui la précèdent, le bruit des tasses encore vides, les formules de politesse avant la conversation, le cœur du sujet en suspens, la lente montée du café à petit feu, trois fois pour les uns, six fois pour les autres, l'apparition progressive de l'écume noire, ce petit marc de l'avenir raclé et déposé en douceur au fond de la tasse et puis la dernière halte, un peu au-dessus de la flamme, dans l'espoir qu'un brin de résidu remontera à la surface, un attroupement de petites bulles qui formeront peut-être un anneau flottant en signe de bon augure, à chacun sa tasse et à chacun sa chance ; sans oublier l'essentiel, le dosage du sucre, prévu dans les moindres nuances, un café « amer » pour l'un, un café « avec plus de sucre qu'il n'en faut » pour l'autre, un café « juste » comme la parole d'un sage qu'on appelle aussi le café « du milieu », ou bien encore un café « à l'odeur », à peine sucré, pour ainsi dire pas, rien que pour le plaisir de l'idée…

Il y a le café solitaire du matin, la tasse coiffée d'une soucoupe renversée pour le tenir au chaud, qu'on va boire dans un coin familier, un coin bondé de souvenirs et d'habitudes, là où les manifestations du jour ressembleront, autant que possible, à celles de la veille avec tout ce que cela suppose de soupirs et d'espoirs renouvelés.

Il y a le café des femmes, qui ouvre une brèche dans la forteresse des hommes, car c'est le moment ou jamais de prendre la parole sans avoir à la demander, un peu comme on dispose à la va-vite d'un bien provisoire, un usufruit, en somme… C'est le moment où elles vont fonder un pays à part, avec des frontières plus ou moins conventionnelles mais avec presque toujours ce même air de rébellion amoureuse envers le père, le mari ou le fils qui défilent, de confidence en confidence, sous le petit feu des railleries et des conseils, des reproches et des encouragements aussitôt suivis de conclusions hâtives. « J'ai oublié de te raconter ! », « Ne me dis pas ! », « Sur la vie de mes enfants… », « Prends patience », « Le pays s'est envolé mais nous sommes en vie », « Ton malheur repartira comme il est venu », « Que vienne la vie comme elle vient », « Comme Dieu veut », « Si Dieu veut… » et ainsi de suite jusqu'à ce que la parole aille se perdre, elle aussi, dans la fumée des dernières cigarettes.

Il y a le café politique, le café des hommes affalés dans des fauteuils presque toujours trop mous ou alors carrément coincés en rang d'oignons sur des chaises pliantes ou bien encore placés en angle droit, dans un coin de la pièce, s'il s'agit d'un tête-à-tête télévisé entre deux hommes qui n'ont apparemment rien à se dire mais qui ont en revanche de la suite dans le sourire à en croire la retransmission du soir… Il y a aussi le café de l'aller-retour dans une capitale voisine, le café de l'allégeance avec un « grand » entouré d'un tas de « petits » qui vont recevoir, à tour de rôle, les mots d'ordre et les consignes en prenant l'air béat de n'y avoir pas pensé plus tôt. Ce café-là ne se boit pas, il s'avale comme un poison qu'on s'empresse de recracher, en rentrant, sur plus petit que soi. Mais prenons un cas de figure exemplaire, celui du café multiconfessionnel entre chefs de partis de tous bords qui, soit dit en passant, n'est déjà plus qu'un « bon souvenir » de triste mémoire ! Vous les verrez d'abord se lancer dans une vaste opération de charme, au cours de laquelle tous les moyens de séduction seront bons et même conseillés. J'ouvre ici une parenthèse car il convient de rappeler qu'il arrive fréquemment aux Libanais en général et aux politiciens en particulier d'entretenir un véritable culte de l'ennemi, une espèce de haine sentimentale qui se vérifie, entre autres, à leurs efforts conjoints pour se garantir réciproquement la vie, à la consternation que suscite la mort de l'un d'entre eux et surtout à ce traditionnel dosage de fiel et de miel qui nous valut, depuis toujours, des batailles et des réconciliations enflammées, des coups de feu aussitôt suivis d'embrassades, en moins de temps qu'il n'en faut pour enterrer les morts… Une sorte d'attirance honteuse, comparable, si vous me le permettez, à celle d'une bourgeoise pour son cuisinier qui ne trouverait rien de mieux pour s'en défendre que de bovaryser en appuyant sur une gâchette… (J'y vois, pour ma part, les troublantes limites de cette sacro-sainte virilité dont on nous investit, un beau matin, nous autres, les fils chéris de nos mères, comme on réclamerait brusquement d'un curé sans prétention qu'il accomplisse, sur-le-champ, un miracle !)

Quoi qu'il en soit, revenons-en aux retrouvailles de nos frères ennemis autour de leur tasse de café encore pleine et fumante. Un temps durant lequel ils peuvent décemment prolonger le plaisir des accolades, se flatter, s'enquérir passionnément de la santé d'une mère ou d'une cousine dont ils avaient oublié l'existence, échanger avec une candeur exquise quelque information juteuse contre un petit service qui rapportera gros et puis lancer une blague à la ronde pour conclure, dans l'euphorie générale, le gai prélude aux discussions sérieuses qui feront, Dieu sait combien, de nouvelles victimes.

Le café coûte cher mais ce n'est pas un luxe de riches. Les pauvres en achètent et en consomment quand bien même ils sont très pauvres. Il suffit de passer le seuil d'une maison pour s'entendre dire que « le café est sur le feu » et si vous déclinez l'offre, on vous répondra aussitôt que « ce n'est pas possible », qu'il « n'en est pas question ! », que « ça ne va pas comme ça », *ma bi sir !...* Et cette dernière petite phrase, ils la prononcent avec une telle insistance qu'elle révèle bien plus qu'une formule de politesse, elle contient toute la fierté des gens qui ne supportent leur misère que parce qu'ils ont quelque chose à offrir. Il y a aussi le café des commerçants qui vous demandent : « Comment le prenez-vous ? », en vous donnant le prix d'un bracelet ou d'une montre. Ce n'est pas vraiment un « truc » pour vous séduire ou vous convaincre, c'est plutôt une sorte de point d'honneur et quand vous les connaissez bien, c'est tout simplement une manière de déjouer ou de minimiser les rapports d'argent. C'est le même genre de café qui vous attend dans un bureau d'avocat ou de journaliste et qui se conclut inévitablement par un remerciement sous forme de vœu : un vœu de mariage, le vôtre si vous êtes célibataire, ou alors celui de vos enfants.

Le café des condoléances est une tout autre histoire qui commence par le changement de décor de la maison du mort. Les meubles sont déplacés et les chaises disposées le long des murs de la pièce de réception, avec, au centre, un grand espace vide parcouru à pas lents par les visiteurs en direction des membres de la famille à qui ils vont murmurer les petites phrases d'usage avant de regagner la rangée des sièges. Ce café-là ne comble pas le vide, il le creuse et le reproduit, on tient la tasse au-dessus de la soucoupe comme une chose dérisoire. Elle est encombrante mais rassurante, cette petite coupe de vie en suspens qui donne une contenance à la douleur des uns, à l'indifférence des autres. Elle a de surcroît la couleur du moment durant lequel quelqu'un chuchotera au milieu de ses larmes qu'il a « le cœur aussi noir que le fond de la tasse ». Il y a le café des jours de beau temps, dans les cafés populaires du bord de mer où les intellectuels s'employaient, avant la guerre, à bâtir l'avenir avec une ferveur et une générosité dont il ne les remercia, pour ainsi dire, jamais. La plupart de ces lieux ont été démolis, il en est qui ont survécu mais je dois dire que je n'y vais presque plus.

Lettre posthume.

Préparer un café turc est un véritable cérémonial auquel se plient volontiers, plusieurs fois par jour, les Libanais. D'abord il faut doser l'eau, verser le nombre exact de tasses dans la rakoué, récipient spécial en cuivre jaune ou émaillé muni d'un long manche. Ensuite, il faut ajouter, une à une, le nombre correspondant de cuillerées débordantes de café moulu – nature ou parfumé à la cardamome – et mélanger lentement, de haut en bas. À chaque bouillonnement, il s'agit d'éloigner le récipient du feu, ajouter du sucre s'il en faut, puis au bout de trois ou quatre ébullitions (selon les écoles) éteindre et laisser reposer. Un café sans sucre se dit saada, un café à peine sucré al riha, un café moyennement sucré wassat et un café sucré hélou. Et pour ceux que le café rend nerveux ou insomniaque, il existe une variante, le café blanc ou ahwé Baïda, de l'eau chaude agrémentée de quelques gouttes d'eau de fleur d'oranger et sucrée selon le goût de chacun.

Comme il existe des occasions pour boire le café, il y a également des lieux où le consommer, le plus ancien étant le Café de Verre, que décrit Alexandre Najjar : « Je pousse la porte du café de Gemmayzé, l'un des vieux quartiers de Beyrouth. Je m'attable et regarde autour de moi : il n'y a que des hommes aux cheveux blancs, au col défait, qui passent leur temps à le perdre. Ils jouent au trictrac ou disputent une partie de cartes. Le serveur circule entre les tables en proposant des narguilés. [...] L'ambiance n'a pas changé depuis des lustres : les habitués du café ont pris quelques rides, c'est tout. » Les cafés de Hamra, le Modca et le Café de Paris, rendez-vous, dans les années 1970, des intellectuels qui venaient y refaire le monde autour d'une tasse de café, continuent à attirer une clientèle de nostalgiques. D'autres établissements, comme le Grand Café et La Maison du Café, essaiment dans le centre-ville, où la mode est de nouveau à l'équation café-narguilé. Et, depuis quelques années, Beyrouth assiste à un bourgeonnement de « coffee-houses » à l'américaine, qui révolutionnent les habitudes en proposant toutes sortes de cafés et de produits dérivés. Mais rien ne réussira à détrôner le vrai café, turc, arabe ou libanais selon les sensibilités.

HODA BARAKAT

Le jellab

Le laboureur des eaux, *de Hoda Barakat, est l'histoire de Nicolas, marchand de tissus du centre-ville de Beyrouth qui, durant la guerre civile, se réfugie dans le sous-sol du magasin familial, miraculeusement épargné par la destruction et les incendies. Vautré dans les étoffes et les soieries, avec pour toute nourriture les plantes sauvages qui ont envahi le centre-ville désert, il se remémore son passé. Dans cet extrait, Nicolas déguste un* jellab *(ou* julep*) en écoutant son père raconter l'histoire de Beyrouth, telle qu'elle lui a été transmise par son propre père.*

Je croque des pignons mêlés de cristaux de glace, puis reprends une petite gorgée de mon verre de julep, me demandant comment maître Antabli parvient à mêler ainsi le sucre au parfum d'encens, comment il obtient cette teinte rouge vin si attrayante, d'un rouge si pur et si lumineux qu'aucun marchand de sorbets ne parvient à l'imiter, pas même le célèbre maître damascène qui a ouvert une échoppe au coin du souk des Francs et s'est pris de lancer des défis à maître Antabli, ajoutant toujours plus de pignons, plus de raisins secs pour les aventuriers prêts à tenter l'expérience…

À chaque petite gorgée, je vérifiais le niveau du liquide restant dans mon verre, jouissant de la boisson et me désolant en même temps de sa disparition. Jusqu'à ce que les propos de mon père m'occupent entièrement. À chaque fois qu'il me parlait de mon grand-père, que je n'avais pas connu, chaque fois que ses yeux se couvraient de ce voile délicat qui ombre le regard de ceux qui fixent l'horizon en essayant de se souvenir et oublient quiconque se tient à leurs côtés, moi aussi j'oubliais tout et je me représentais le visage de mon grand-père, un visage que j'inventais à partir des traits de mon père, y ajoutant quelques années et un peu de sévérité.

Mon grand-père disait qu'une cité bâtie par Saturne, ainsi que le prétendaient les Anciens, ne peut prospérer longtemps. L'opulence ne peut y régner sans qu'un jour tout soit jeté sens dessus dessous.

Le laboureur des eaux,
traduit de l'arabe par Frédéric Lagrange.

Tous ceux qui ont connu le jellab de maître Antabli, vendeur de sharab près de la fontaine des souks du vieux Beyrouth, assurent qu'ils n'ont jamais rien goûté de meilleur. Les sharab, qui sont à l'origine du mot français « sorbet », sont des boissons fraîches à base de sirops de fruits. On les préparait autrefois avec de la neige du Jebel Sannine, la plus haute montagne du Liban. Il en existe une grande variété – autant que de fruits ! – surtout appréciés en été car très rafraîchissants. Les plus connus sont sharab el-toute (sirop de mûre), sharab el-ward (sirop de rose), sharab tamer hindi (sirop de tamarin). Quant au jellab, c'est tout simplement du sirop de raisin allongé d'eau fraîche et de glace pilée, garni de pignons et parfois de raisins secs. Un vrai délice !

RICHARD MILLET

Les mezzés

Ayant passé une partie de son enfance à Beyrouth, Richard Millet garde en mémoire des scènes de la vie quotidienne, qu'il nous livre avec beaucoup de nostalgie. Pour lui, les odeurs de Beyrouth sont indissociables de celles de la cuisine libanaise.

Le Beyrouthin – surtout le fonctionnaire – ne cessait pas de manger ni de boire. À toute heure du jour, des garçons apportaient dans les bureaux des cafés, des boissons gazeuses, des écuelles de *hommos* (purée de pois chiches à l'huile). Certains de nos professeurs ne dérogeaient point à la règle et se faisaient livrer, en plein cours, un café, servi et bu cérémonieusement. Mon peu solide estomac ne tolérait, hélas, qu'une quantité infime des nombreux plats composant les admirables mezzés, cet échantillonnage, cette « mise en abîme » de la cuisine libanaise, qui faisait qu'on pouvait manger sans avoir eu l'air de toucher aux plats. J'aimais le pain arabe, sorte de galette large et souple dont on déchirait un morceau pour en former un petit cornet et se saisir ainsi d'un peu de *hommos*, de *kebbé* ou de *tabboulé*. J'aimais aussi l'arak, cet anis que l'eau rendait soudain blanc comme le lait. La ville était peuplée d'odeurs de nourriture, avec lesquelles j'entretenais des rapports de fascination et d'écœurement. Il me suffit aujourd'hui de goûter à un de ces plats qu'autrefois je détestais pour que s'accomplisse l'opération proustienne de la madeleine, et qu'avec une douceur irrésistible la ville tout entière se recompose en moi.

Beyrouth.

Les fameux mezzés libanais sont un assortiment de hors-d'œuvre chauds et froids. Il en existe plus d'une centaine. Difficile de tous les énumérer. Il y a d'abord les mezzés froids dont les incontournables hommos (purée de pois chiches) et moutabbal (purée d'aubergines à l'huile de sésame) mais aussi les légumes farcis comme les feuilles de vigne et les légumes cuits à l'huile. Viennent ensuite les mezzés chauds. D'abord les mouajjanates (à base de pâte) dont les fatayers (chaussons aux épinards), les sambousseks (rissoles à la viande) et les rekakats (beignets à la viande et au fromage) ; puis les falafels (beignets de légumes secs). Puis, il y a les viandes cuites comme le shawarma (viande de mouton marinée aux épices et cuite à la verticale), le chich taouk (poulet mariné en brochettes), le kebbé (viande hachée et bourghol) sous toutes ses formes et le kafta (brochettes de viande hachée), auxquelles viennent s'ajouter toutes les variétés de viandes crues ! Sans oublier les salades diverses et variées, dont le fattouch (crudités et pain grillé) et surtout le taboulé. Le vrai taboulé libanais, n'en déplaise aux amateurs de semoule marinée, est fait avec du bourghol (blé concassé très fin) et se reconnaît à sa couleur verte car il est surtout composé de persil et de menthe !

RECETTE DU TABOULÉ LIBANAIS

30 g de bourghol fin
50 g d'oignons verts
3 bottes de persil plat
2 bottes de menthe fraîche
600 g de tomates
150 ml d'huile d'olive
Jus d'un citron
Sel, poivre noir et blanc, cannelle

Bien rincer le bourghol dans une passoire et le tremper dans de l'eau pendant vingt minutes. Couper les tomates en petits dés. Effeuiller et laver le persil et la menthe. Couper les oignons très fin puis hacher le persil et la menthe en tranches d'environ 1 mm d'épaisseur. Mettre persil, menthe et oignons dans un saladier, ajouter du sel, du poivre et un peu de cannelle. Bien mélanger. Éliminer l'excédent d'eau du bourghol et l'ajouter au mélange avec les tomates. Assaisonner avec l'huile et le citron. Présenter avec des feuilles de salade qui serviront à porter le taboulé à la bouche.

ALEXANDRE NAJJAR

Réunion de famille

Ses retrouvailles avec Beyrouth après sept ans d'absence sont, pour Alexandre Najjar, l'occasion de raconter ses souvenirs d'enfant de la guerre. Son retour réunit la famille autour des mezzés traditionnels.

Sur la nappe blanche, à côté d'un grand panier garni de tomates, de concombres et de laitues, le serveur a aligné le mezzé : il y a là du *mtabal* – de la purée d'aubergines – orné de persil et de cumin, du taboulé, des feuilles de vigne farcies, un ravier de *hommos* – la purée de pois chiches à l'huile de sésame –, une assiette de *falafel*... Autour de la table, tous les membres de ma famille, y compris l'oncle Michel et tante Malaké. L'oncle Michel se racle la gorge et prononce un mot de bienvenue en levant son verre d'arak à la santé de « celui qui est revenu ». J'en ai les larmes aux yeux. Pour exorciser la guerre, j'ai fui. Mais en fuyant, j'ai failli oublier les miens, tous ceux qui sont réunis autour de cette table et qui plongent leur pain dans le même plat que moi.

– Si la grosse Bertha revient, partiras-tu de nouveau ? me demande l'oncle.

Je proteste :

– Tu sais bien que je ne suis parti qu'à la fin de la guerre ! Je n'ai pas eu peur de ta grosse Bertha !

– C'est vrai. Mais aurais-tu le courage de revivre ce que tu as vécu ?

Je réfléchis un moment, puis réponds :

– Ce que j'ai vécu, je le revis chaque jour, malgré moi : on ne sort pas indemne de la guerre !

– Pourquoi revenir quand la plupart de tes amis repartent, déçus ? demande tante Malaké.

– Déçus par quoi ?

– La crise économique, les séquelles de la guerre, la pagaille...

– Je suis de ceux qui croient, tante Malaké, qu'on doit assumer son destin dans le pays où on est né.

Je me verse de l'arak. L'oncle Michel se lance dans un discours interminable. Des souvenirs de guerre, comme un vieux briscard. Dans ses propos, pas de place pour le sang, la souffrance, les morts. Il parle du grondement sourd de la canonnade, de la vaillance de la population qui reconstruisait de bon matin ce que les obus avaient détruit la veille, de son insouciance face à la mitraille, de ses randonnées à dos d'âne, des longues parties de cartes disputées à la lueur des bougies...

– Dis-moi, oncle Michel, tu ne serais pas amoureux de la grosse Bertha ?

L'oncle Michel sursaute. Il se tourne vers moi et cligne de l'œil :

– Tu veux que je te dise ? La grosse Bertha, c'est une vraie salope !

L'école de la guerre.

Deux ingrédients essentiels de la vie d'un Beyrouthin sont présents ici : la réunion familiale et les mezzés. Ils vont en général de pair, car au Liban tout est prétexte à se retrouver autour d'un repas pantagruélique, les Libanais étant amateurs de bonne chère. Si tout repas libanais digne de ce nom doit commencer par des mezzés, il est, en général, arrosé d'arak. Certains lui préfèrent une bière locale ou un bon vin ; il en existe d'excellents, produits dans la région de la Bekaa, dans le sud-est du pays. Mais, de l'avis général, rien n'égale l'arak, car il semble avoir été créé pour sublimer le goût de tous ces plats. Pompeusement baptisée « boisson nationale libanaise », l'arak est une eau-de-vie de raisin parfumée à l'anis. L'alcool de vin, obtenu par distillation, est mélangé à de l'anis puis distillé à nouveau. Le liquide transparent se trouble légèrement et prend une couleur blanche lorsqu'on y ajoute, avant de le servir, de l'eau et des glaçons.

OMAR BOUSTANI

Les nuits de Beyrouth

Beyrouth déploie des efforts considérables pour rester fidèle à sa réputation de reine de la nuit ; un titre qu'elle conserve sans problème, du moins au Moyen-Orient. Omar Boustani croque ici ces Beyrouthins qui sortent, leur goût de la fête, leurs codes vestimentaires et sociaux.

Bref, surtout en période estivale, avec la ruée d'une diaspora venue passer du bon temps dans la mère patrie, tous les chemins mènent au *nightclubbing*. Au Liban, la vie nocturne est devenue incontournable ; elle tient aujourd'hui la part belle des réseaux de socialisation. Les Libanais, plus que jamais amateurs de convivialité, de regroupements sociaux, de branchitude *up to date*, d'effervescence mondaine, de séduction sulfureuse, de rythmes endiablés – certes les transes techno ont remplacé la *dabké* ancestrale, mais la fonction reste quelque part la même... –, se montrent friands de soirées chaudes et de fêtes frénétiques.

Seize ans de guerre et de ghettoïsation à outrance expliquent sans conteste pour une grande part un tel phénomène. Le temps est venu de se soulager sans retenue, de reléguer à une préhistoire glauque les mauvais souvenirs de l'inconscient collectif et de redécouvrir les joies du futile, du badin, du pétillant, du torride sans grabuge : d'effacer les factions dangereuses pour s'adonner aux joies intenses des liaisons dangereuses.

[...]

Aligner en vitrine le plus grand nombre de Porsche, de Mercedes, de Range Rover et de BMW rutilantes semble toujours le nec plus ultra indépassable pour un établissement de nuit libanais. Le fond de l'air est donc toujours à la paillette, au j't'en fous plein la gueule asséné au vulgum pecus à travers les vitres teintées d'une berline climatisée où l'on peut entrevoir monsieur et mademoiselle, demi-dieux d'un soir. Dans ce cadre, le consensus tient plus à l'appartenance au même milieu qu'à un regroupement par classe d'âge ou par tendance musicale. On se déplace le plus souvent en clan et l'on se toise, on se salue, on se reconnaît. Parfois des interconnexions sont envisageables, en fonction des affinités, entre polos Ralph Lauren, chemises Façonnable et mocassins Alden.

[...]

Yallah, allez. Whisky-glace : pour le taux de futilité requis, la tchatche enjouée, l'exubérance décervelée, ça aide.

Musique. Techno beat de derrière les fagots. Latino ! Manu Chao ? Ziad Rahbani ? Oum Kalsoum, pour finir la nuit en palier ? Clandestino. Moi, là, j'suis un peu FUBAR : 100 % pur techno club. House à Sodeco, face à la rue de Damas, tirs de roquettes jusqu'en 1990, la ligne verte, *kalach, klachin* et fusil à lunette *M-sixteen.*

[...]

D'abord il y a les filles. Une charge érotisée label Méditerranée qui a vite fait de vous électriser ou de vous tétaniser. De réveiller l'érotomane qui sommeillait, pas trop, en vous. Aguicheuses, enjouées, bêcheuses, allumeuses, nombril découvert parfois, souvent. On se trémousse, on fait la moue, on allume la galerie. À la libanaise, même techno c'est baroque ! Ensuite il y a les mecs. On prend la pose, on sirote, on zyeute, on marque son territoire. *Lebanese connection* toujours, même techno, c'est macho. Pour occuper le terrain, il faut assurer. Accolades, roulage de mécaniques entre deux gorgées de *sex on the beach*. Chemise ouverte ? Pourquoi pas ? Ne pas s'en faire, c'est de bonne guerre. Et la nuit est jeune. Vieille comme le monde. Comme le Liban.

« J'irai danser sur vos tombes »,
in *Beyrouth, la brûlure des rêves*.

La jeunesse dorée de Beyrouth danse son ennui jusqu'au petit jour dans les innombrables bars et boîtes de nuit de la capitale. Même en pleine guerre, les Beyrouthins n'ont jamais cessé de sortir, du moins les plus aisés. Le moindre cessez-le-feu était prétexte à s'éclater. Ce sont les mêmes – ou leurs enfants – qui fréquentent aujourd'hui les établissements de la rue Monot d'Achrafieh et ses alentours. Le quartier compte plus de soixante restaurants et presque autant de bars et boîtes de nuit. Il est suivi de près par le nouveau centre-ville où, si les bureaux à louer restent vides, les cafés et les restaurants fleurissent. Les lieux de la nuit se multiplient à toute allure, sans doute plus vite que dans toute autre capitale du monde, et disparaissent aussi rapidement qu'ils ont été créés. De bodega en sushi bar, la mode change. Avides de nouveauté, les Beyrouthins se lassent très vite. Ce qui explique qu'actuellement la restauration soit le seul secteur lucratif au Liban !

RENSEIGNEMENTS PRATIQUES

Comment s'y rendre

– EN AVION : 3 vols quotidiens directs au départ de Paris. Plusieurs vols hebdomadaires à partir de Genève et Bruxelles. Tous les vols arrivent à l'aéroport international de Beyrouth, situé à 10 km au sud de la capitale. Le meilleur moyen de rejoindre le centre-ville est le taxi. Il y a aussi un bus LCC n° 5, mais il faut marcher 1 km jusqu'au rond-point de l'aéroport pour l'atteindre.

– EN VOITURE : le trajet est long et coûteux. La route sud par l'Afrique du Nord est actuellement déconseillée car elle passe par la Libye et l'Algérie. La route nord traverse les pays de l'Europe de l'Est, puis la Turquie et la Syrie.

Formalités

Un visa est nécessaire pour les ressortissants des pays européens. Il peut s'obtenir au consulat du Liban (123, avenue Malakoff, 75116 Paris, tél. 01 40 67 26 36) ou sur place, à l'aéroport.

Se déplacer :

– SERVICES OU TAXIS COLLECTIFS : c'est le moyen de transport le plus utilisé dans Beyrouth. Ces taxis, presque toujours des Mercedes, ont des itinéraires plus ou moins fixes et s'arrêtent à la demande. Ils peuvent prendre en charge un maximum de cinq passagers. Certains acceptent de se diriger vers la destination du premier client, quitte à en prendre d'autres en cours de route. La plupart circulent entre les principaux centres et terminaux de transports de Beyrouth : les gares routières de Cola et de Dora, les carrefours du Musée national et de Barbir. Ils sont très bon marché.

– TAXIS PRIVÉS : très nombreux surtout dans les quartiers huppés. Ils sont au moins cinq fois plus chers que les taxis collectifs. Il est conseillé de se mettre d'accord sur un tarif avec le conducteur avant le départ.

– TRANSPORTS PUBLICS : les bus et les minibus de la société privée Lebanese Commuting Company (LCC), de plus en plus nombreux, circulent selon des itinéraires fixes dans Beyrouth. Ils sont plus rapides et plus confortables que les bus gouvernementaux mais deux fois plus chers.

Où séjourner

L'offre hôtelière de Beyrouth est très importante, mais il s'agit surtout d'établissements de grand luxe, la plupart appartenant à des chaînes comme Hilton, Méridien, Intercontinental, etc. En période creuse, ils proposent des réductions qui peuvent aller jusqu'à 50 % du prix initial. Le recours à des voyagistes locaux permet également d'obtenir de bons prix. Les établissements de catégorie moyenne sont encore très rares ; il en existe une douzaine, situés dans les quartiers de Hamra et Achrafieh. Les établissements bon marché sont de qualité très médiocre. À éviter donc. Les prix sont dans l'ensemble élevés. Attention, les tarifs affichés sont augmentés de 21 % de taxes.

Où manger, où prendre un verre

Beyrouth abonde en restaurants de catégories diverses, allant des établissements haut de gamme aux fast-foods et sandwicheries, en passant par les bistrots et les cafés-restaurants. Toutes les cuisines du monde sont représentées. Difficile d'en recommander. Les horaires sont très souples. Beaucoup d'endroits servent en continu toute la journée.

Beyrouth propose un bon choix de bars et de boîtes de nuit.

Les lieux de la nuit changent très vite, au gré des modes. Le mieux est de se renseigner sur place. La plupart sont concentrés autour de la rue Monot, à Achrafieh. Les prix sont assez élevés.

À voir

Il n'y a pas de monuments proprement dits à Beyrouth et très peu de musées. Beyrouth est une ville où il faut flâner, explorer les différents quartiers de la ville pour en saisir l'ambiance et en découvrir l'architecture. Quelques lieux sont à voir absolument :

– Le Musée national abrite la plus belle collection d'objets archéologiques trouvés au Liban et datant de la Préhistoire au XIXe siècle.

– Le musée archéologique de l'université américaine de Beyrouth réunit un bel ensemble d'objets du Liban et du Moyen-Orient ainsi qu'une belle collection de monnaies anciennes. Sa visite est l'occasion de se promener dans le magnifique campus de l'université.

– Le musée Sursock, musée d'art contemporain, et le quartier Sursock, qui abrite de belles villas du début du siècle dernier.

– Le centre-ville : il faut se promener du côté de la place de l'Étoile, pour entrevoir, entre le Grand Sérail et la rue Riad el-Solh, les vestiges de thermes romains mis au jour en 1995. Visiter la Grande Mosquée, qui était à l'origine une église croisée, et la cathédrale Saint-Georges, élevée au XXe siècle sur le modèle de la basilique Sainte-Marie-Majeure de Rome et récemment restaurée, puis s'installer, en face, dans l'un des cafés qui surplombent les colonnes romaines du Cardo Maximus romain.

Pour plus de renseignements, s'adresser à l'Office de tourisme libanais : 124, rue du Faubourg-Saint-Honoré, 75008 Paris, tél. 01 43 59 10 36, fax 01 43 59 11 99.

Petit guide pratique de Beyrouth

Ces indications pratiques, ainsi que de nombreuses informations figurant dans les commentaires, sont reprises du Guide Footprint Gallimard Syrie-Liban.

Dans la même collection

1995

Andersen, Hans Christian, *Le compagnon de voyage.*
Arnim, Achim von, *Les héritiers du Majorat.*
Basile, Giambattista, *La chatte Cendrillonne.*
Cabrera, Lydia, *Bregantino Bregantin.*
Diderot, Denis, *Ceci n'est pas un conte.*
Hoffmann, E.T.A., *Conte véridique.*
Lubert, Mlle de, *La princesse Camion.*
Luzel, F.M., *Le chat noir.*
Walpole, Horace, *Contes hiéroglyphiques.*

1996

Deffand, Mme du, *À Horace Walpole.*
Genlis, Mme de, *De l'esprit des étiquettes de l'ancienne cour et des usages du monde de ce temps.*
Lespinasse, Julie de, *Mon ami je vous aime.*
Margrave de Bayreuth, La, *Une enfance à la cour de Prusse.*
Marie-Thérèse d'Autriche, *Madame ma chère fille.*
Roland, Mme, *Lettres à une amie d'enfance.*
Staal-Delaunay, Mme de, *Mémoires de jeunesse.*
Staël, Mme de, *Réflexions sur le procès de la reine par une femme.*
Tencin, Mme de, *Mémoires du comte de Comminge.*

Dumas, Alexandre, *À propos de l'art dramatique.*
Dumas, Alexandre, *Blanche de Beaulieu.*
Dumas, Alexandre, *Delacroix.*
Dumas, Alexandre, *Herminie.*
Dumas, Alexandre, *Histoire d'un lézard.*
Dumas, Alexandre, *L'invitation à la valse.*
Dumas, Alexandre, *Le pays natal.*
Dumas, Alexandre, *Lettres sur la cuisine à un prétendu gourmand napolitain.*
Dumas, Alexandre, *Mes infortunes de garde national.*

1997

Champfleury, *Le chien des musiciens.*
Fabre, Jean-Henri, *Sur le Ventoux. L'Ammophile hérissée.*
Loti, Pierre, *Vies de deux chattes.*
Michelet, Jules, *Le rossignol.*
Tolstoï, Léon, *Le cheval.*
Tourguéniev, Ivan, *Moumou.*

Brentano, Clemens, *Histoire du brave Gaspard et de la belle Annette.*
Grimm, Jacob et Wilhelm, *Les deux frères.*
Kleist, Heinrich von, *Le duel.*
La Motte-Fouqué, Frédéric de, *La Mandragore.*
Novalis, *Journal intime.*
Tieck, Ludwig, *La coupe d'or.*

Allais, Alphonse, *Le chambardoscope.*
Dubillard, Roland, *Si Camille me voyait...*
Fénéon, Félix, *Nouvelles en trois lignes,* t. 1.
Renard, Jules, *La lanterne sourde.*
Swift, Jonathan, *Instructions aux domestiques.*
Twain, Mark, *Le meurtre de Jules César en fait divers.*

1998

Dolto, Françoise, *Parler de la mort.*
Dolto, Françoise, *L'enfant dans la ville.*
Dolto, Françoise, *L'enfant et la fête.*

Capote, Truman, *L'invité d'un jour.*
Faulkner, William, *Évangeline.*
Hemingway, Ernest, *La grande rivière au cœur double.*

Recettes littéraires
 I. Hors-d'œuvre froids et chauds, potages.
 II. Œufs, pâtes, apprêts de légumes.
 III. Crustacés, poissons de rivière et de mer.
 IV. Gibiers, volailles, viandes.
 V. Pâtisseries, entremets, confiseries.
 VI. Cocktails, boissons chaudes et fraîches.

Fénéon, Félix, *Nouvelles en trois lignes,* t. 2.
Mac Orlan, Pierre, *Petit manuel du parfait aventurier.*
Mérimée, Prosper, *Le carrosse du Saint-Sacrement.*

Cortázar, Julio, *L'autoroute du Sud.*
Hearn, Lafcadio, *Kwaidan* ou *Histoires et études de choses étranges.*
Tanizaki, Junichirô, *Le pied de Fumiko.*

1999
Cros, Charles, *Grains de sel et autres poèmes.*
Rimbaud, Arthur, *Le lieu et la Formule.*
Verlaine, Paul, *Filles, Femmes et autres chansons.*

Bataille, Georges, *Poèmes et nouvelles érotiques.*
Œuvres érotiques anonymes du XVIIIe siècle, *La Messaline française.*
Sade, D. A. F. de, *L'ogre Minski.*

Félibien, André, *Relation de la fête de Versailles.*
Louis XIV, *Manière de montrer les jardins de Versailles.*
Scudéry, Madeleine de, *Promenade de Versailles.*

Collectif, *Chirico/Vitrac.*
Collectif, *Picasso/Reverdy.*
Collectif, *Vlaminck/Carco.*

Belmont, Nicole, *Comment on fait peur aux enfants.*
Dolto, Françoise, *Jeu de poupées.*
Dolto, Françoise, *Le dandy, solitaire et singulier.*

Le vin des écrivains
I. *Vins de France.*
II. *Vins d'ailleurs.*
III. *Alcools du Monde.*

2000
Bashkirtseff, Marie, *Journal.*
Cioran, *Cahier de Talamanca.*
Andreas-Salomé, Lou, *À l'école de Freud.*

Aragon, *Le Con d'Irène.*
Crébillon, *La Nuit et le Moment.*
Musset, Alfred de, *Gamiani ou Deux nuits d'excès.*

Collectif, *Hymnes au Masculin.*
Collectif, *Hymnes à la Terre-Mère.*
Roi Salomon, *Le Cantique des cantiques.*

2001
Grimm, *Lettres des Lumières.*
Catherine de Russie, *L'éloge du sang-froid.*
Lady M. W. Montagu, *L'Islam au cœur.*

Mme de La Fayette, *La Princesse de Montpensier.*
Mme Guyon, *Le Moyen court.*
La Grande Mademoiselle, *Mémoires.*

Cocteau, Jean, *Lettres à sa mère, 1906-1918.*
Dolto, Françoise, *Père et fille. Une correspondance, 1914-1938.*

Delerm, Philippe, *Monsieur Spitzweg s'échappe.*
Le Clézio, J. M. G., *Le jour où Beaumont fit connaissance avec sa douleur.*
Valdés, Zoé, *Ilam perdu.*

2002
Collectif, *Le Goût de Lisbonne.*
Collectif, *Le Goût de Venise.*
Collectif, *Le Goût de Barcelone.*

Busnot, Dominique, *Histoire du règne de Moulay Ismaïl.*
Pidou de Saint-Olon, François, *État présent de l'empire de Maroc.*
Moüette, Germain, *Relation de captivité dans les royaumes de Fez et de Maroc.*

Rousseau, Jean-Jacques, *Lettres élémentaires sur la botanique.*
Thoreau, Henry David, *Journal (1837-1852).*
Walpole, Horace, *Essai sur l'art des jardins modernes.*

Modiano, Patrick, *Éphémérides.*
Noguez, Dominique, *Saut à l'élastique dans le temps.*
Semprun, Jorge, *Les sandales.*

Calame-Griaule, Geneviève, *La parole du monde.*
Dolto, Françoise, *Kaspar Hauser, le séquestré au cœur pur.*
Dolto, Françoise, Lévy, Danielle Marie, *Parler juste aux enfants.*

Collectif, *Le Goût de Bruxelles.*
Collectif, *Le Goût de Palerme.*
Collectif, *Le Goût de Séville.*

Réalisation Pao : Dominique Guillaumin

Achevé d'imprimer
sur les presses de l'imprimerie Hérissey
en janvier 2003.
Imprimé en France.

Dépôt légal : janvier 2003
N° d'imprimeur : 94181